Juan de la Cruz
Silencio y creatividad

Juan de la Cruz
Silencio y creatividad

Rosa Rossi

traducción de Juan-Ramón Capella

MINIMA TROTTA

MINIMA TROTTA

Primera edición: 1996
Segunda edición: 2010

Título original: Giovanni della Croce. Solitudine e creatività

Ferraz, 55. 28008 Madrid
Teléfono: 91 543 03 61
Fax: 91 543 14 88
E-mail: editorial@trotta.es
http: \\www.trotta.es

ISBN: 978-84-9879-120-4
depósito legal: S-22-2010

impresión
Gráficas Varona, S.A.

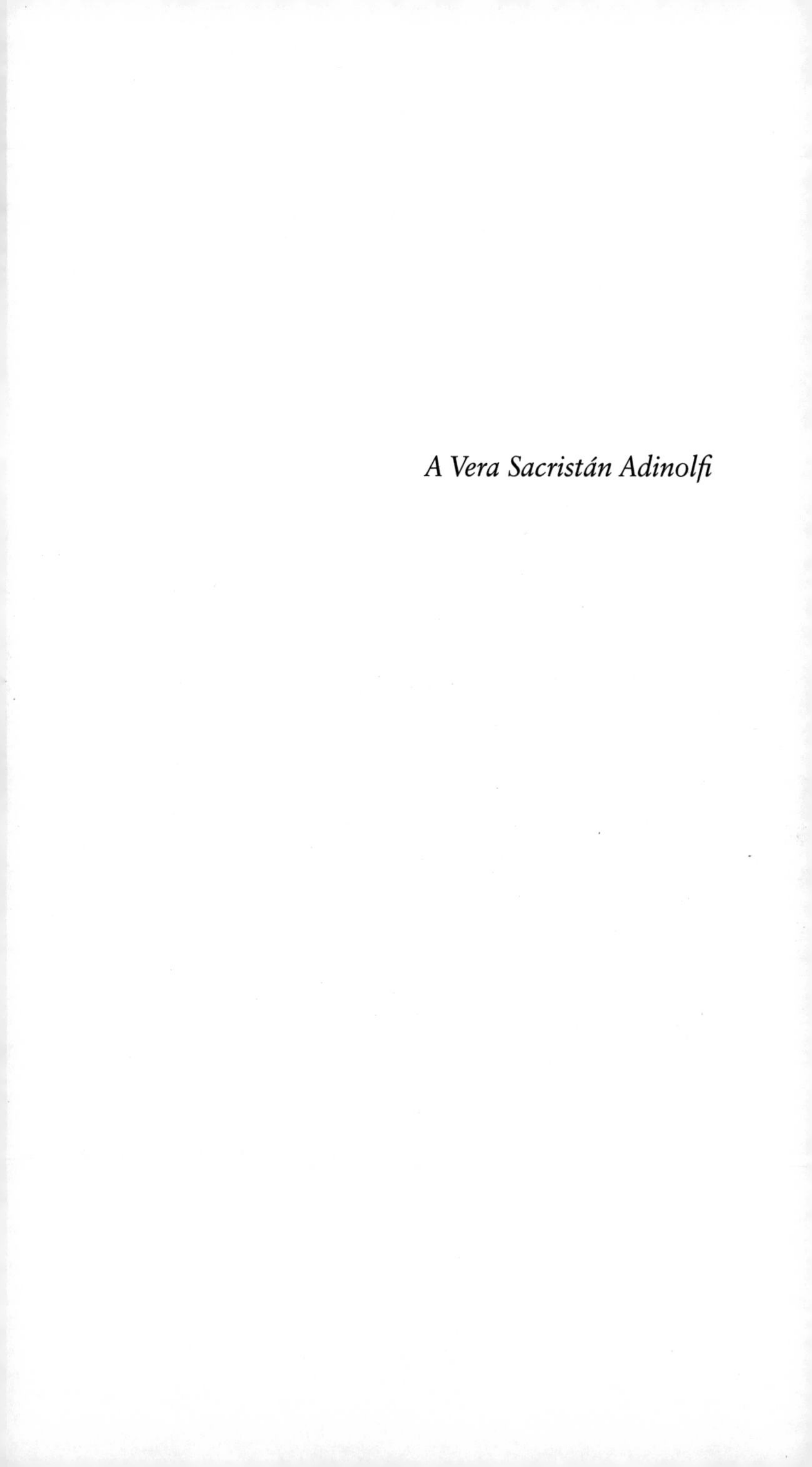

A Vera Sacristán Adinolfi

CONTENIDO

PRESENTACIÓN DE LA EDICIÓN ESPAÑOLA

Dos son las referencias fundamentales del camino hacia Juan de la Cruz y con Juan de la Cruz que se propone aquí.

La primera es el filósofo español Manuel Sacristán Luzón, fallecido en 1985. Entre los intelectuales españoles Manolo Sacristán fue el que más tempranamente —en una reseña de 1952 de la *Teología de la mística* del benedictino padre Stolz— y con más profundidad vio a Juan de la Cruz libre de toda costra confesional y devota, como escritor de una «total universalidad». «Basta ser hombre —escribía Sacristán— para emprender la marcha hacia el fondo del alma, esa marcha que Heráclito inició (y en la que fracasó, según se infiere de sus propias palabras) casi veinte siglos antes que el Maestro Eckhart y dos mil doscientos años antes que san Juan de la Cruz.» Y en el mismo texto destaca Sacristán lo que es el núcleo dinámico de este perfil personal, atento a las implicaciones de la diferencia sexual y de la discriminación social, que se quiere dibujar aquí: «Por eso siguieron a san Juan legos y monjas incultas, que con sus versos y dibujos quedaban suficientemente ilustrados para entenderle».

La otra referencia constante que el lector encontrará en el texto de este perfil personal de Juan de la Cruz son artistas y escritores del siglo XX como Franz Kafka o Samuel Beckett, empeñados al igual que Juan en una puesta en cuestión radical del nexo entre creación y espiritualidad, en el clima lleno de dudas y aperturas explosivas que ha caracterizado nuestro siglo. (En las Apostillas encontrará además el lector referencias a quienes, como Simone Weil, o —en la estela del trabajo de ésta— José Jiménez Lozano o José Ángel Valente, han trabajado a fondo en la línea que asume las experiencias espirituales como una vertiente no renunciable de la crítica de lo existente.)

No por azar se ha intensificado en estas últimas décadas —en un *crescendo* de «actualidad»— la atención hacia Juan de la Cruz gracias a la recuperación crítica y laica de categorías fundamentales de la tradición espiritual como el silencio. (Y pienso en los libros de Giorgio Agamben, o en *L'esercizio del silenzio* de Pier Aldo Rovatti —Raffaello Cortina Editore, 1992—, o en el volumen *El silencio*, colección de ensayos coordinada por Carlos Castilla del Pino —Madrid, 1992—.)

Obviamente, no se podía emprender este camino hacia Juan de la Cruz y con Juan de la Cruz sino remontándonos, más allá de las biografías, a las fuentes más cercanas a su persona. En primer lugar, había que volver a los testimonios de sus amigas y amigos del Carmelo, testimonios que hay que leer siempre con mucha suspicacia y atención por haber nacido en el marco de los procesos canónicos, y por ende siempre condicionados parcialmente por las razones doctrinarias y prácticas de la institución que promovía y controlaba esos procesos. Sin embargo, esos testimonios están marcados en muchos casos por la veracidad que puede surgir de la memoria de una vida en común, del tejido lúcido y afectivo de la amistad. (De modo que no es casual que casi cada capítulo de este libro arranque de un testimonio esclarecedor.) Y, en segundo lugar, había que releer los escritos de Juan, todos clara e intencionadamente no autobiográficos, sometidos como están a la instancia de la crítica radical del sujeto, pero llenos al mismo tiempo, como en toda escritura nacida de la escucha de voces profundas, de extraordinarias emersiones de lo vivido.

Un aviso al lector: sólo en parte, y sólo aparentemente, los acontecimientos se ordenan, como en una biografía, cronológicamente; aquí, en realidad, los planos temporales están sistemáticamente desviados y superpuestos. Por eso la Cronología que cierra el volumen se ofrece al lector como un mapa para orientarse en los espacios y los tiempos de la vida de Juan.

No puedo cerrar la presentación de la edición española de este libro, que además ha sido ocasión de una entrañable colaboración con Juan-Ramón Capella, sin expresar tres deseos. Que le llegue al lector el discurso político profundo que aquí se intenta desarrollar, es decir, la crítica del yo acorazado y ávido que corrompe tantas actitudes que se dicen y se creen políticas, y que no son sino pulsiones hacia la afirmación del propio yo (o, en los casos peores, pulsiones para acrecentar esas proyecciones idólatras del yo que son la riqueza o el poder). Que le llegue también al lector el desenmascaramiento, que fue propio de Juan, de esa ocultación de lo real que está detrás de toda fijación doctrinaria. Y, por último, que a través de este perfil personal Juan de la Cruz pueda asumir a su lado la figura de amigo, de profundo psicoterapeuta, que Juan tuvo conmigo en años de puro dolor.

Roma, junio de 1995

I

EL HIJO DE LA CATALINA

Tejedores trabajando, en *Storia della tecnologia*, dirigida por C. Singer, Boringhieri, Turín, 1962, vol. III.

En el testimonio de un cofrade suyo, el hecho de que Juan de la Cruz tuviera la costumbre, incluso cuando iba de visita a casa de «señores» en Segovia, de sentarse en el suelo, se interpreta como sigue: «Le decía la dicha señora que se sentase (en buena silla), y no se sentase en el suelo; y el santo no quería, sino siempre buscaba lo más humilde para sentarse».

He aquí un caso de *reductio ad unum*, de limado de la «diferencia»: la reducción a un modelo fijado de antemano —el modelo de la humildad— de un comportamiento de Juan que, en cambio, en ese sentarse en el suelo, expresaba acaso la reivindicación muda pero orgullosa de su origen social, y más en casa de «señores», bien proclives a hacer valer los privilegios de su cuna. O tal vez Juan —es lícito leerlo en su historia, como veremos— manifestaba así una costumbre natural, la simple busca de la comodidad de quien ha nacido en un barrio pobre y fuertemente islamizado. O —¿por qué no?— una polémica frente al inútil lujo del salón de aquella «señora». O la voluntad, expresada tácitamente, de compartir el lugar de los criados.

En una palabra: si se quiere devolver su grosor personal a una figura que, como se admite incluso en ambientes confesionales, ha sido «despersonalizada» debido a la estampita devota que le han pegado encima, hay que llegar a ver con ojos libres y vigilantes hasta el más pequeño rastro de esa existencia. Disponemos para ello de los instrumentos de la microhistoria, de la historiografía de la vida cotidiana, pero, sobre todo, podemos emplear la sensibilidad moderna respecto de las diferencias individuales para captar —en la riada de testimonios de que se dispone cuando se trata de un «santo» canonizado— los rasgos reveladores de la personalidad. Los trazos que aportan algunos testimonios nos llevan a ello si se está siempre pendiente de separarlos de ese modelo hermenéutico, del modelo conformista de «santidad» que tales testimonios utilizan necesariamente —justo porque en la gran mayoría de los casos se prestan en un proceso canónico—, superponiéndolo al recuerdo personal. No es casual que gran parte de los capítulos de este «perfil personal» partan de la relectura de un testimonio. En su mayoría, de un testimonio femenino.

Además, para obtener otro componente del espesor personal, el que nace de la historización, podrá ser útil una comparación con la experiencia de otros «santos» en el plano de lo vivido.

Podrá ser útil, por ejemplo, en lo relativo a la elección y a la práctica de la pobreza, una comparación con Francisco de Asís. Significará, en primer lugar, recordar la diferencia histórica entre los modelos religiosos que impulsaron y regularon la vida de estas dos grandes personalidades: el modelo que hizo celebrar a Francisco las bodas simbólicas con *Madonna Povertà* y el modelo de Juan de la Cruz tal como lo veremos nacer desde el interior de su historia personal, un modelo en cuyo centro está más bien la dimensión interior de la pobreza, el distanciamiento de todos los bienes, incluidos los espirituales. El camino de la *nada*.

Si se tiene presente esta diferencia histórica esencial resulta interesante destacar la importancia que tuvo en el caso de Francisco, en el plano de lo vivido, que quien elegía la pobreza fuera el hijo de uno de los mercaderes más importantes de Asís. A diferencia de Francisco, hijo de Pietro Bernardone, no fue necesario que Juan de Yepes celebrara boda ninguna con la Pobreza; él, para quien la pobreza fue madre y hermana, y compañera y amiga de la infancia. En la historia de su vida no puede haber huella alguna del itinerario de Francisco Bernardone: ninguna locura caballeresca en su vida de trabajador manual, pobre «sin calidad». A Juan le era imposible tener, como Francisco, la manía de pagar lo de todos, pues a él y a su madre y a su hermano a menudo les faltaba literalmente el pan. En sus relaciones con la familia no pudo haber la secuela de malos humores, reprimendas y suspicacias que acompañaron en familia la opción de Francisco, sino sólo la silenciosa solidaridad de quien nada tiene que perder.

Tampoco pudo haber en él la resistencia que experimentó Francisco al llegar a mendigar —el mendigar como bajar muy abajo, un modo de romper con el pasado y con la familia—; Juan de Yepes, su madre y su hermano concebían el gesto de tender la mano como el más obvio para resolver el problema del hambre cuando apretaba sus vísceras, como a todos los verdaderos hambrientos de la tierra. Mendigar, para Juan, no significaba constituirse como «otro», y por tanto como depositario de un poder, de una dimensión de lo sagrado temida y admirada a la vez. Ni significaba tampoco una libertad, sino sólo una técnica de supervivencia. Él, Juan de Yepes, que tuvo que mendigar cuando fue acogido de niño en una institución benéfica, y que había visto a su madre trabajar en el telar doce o catorce horas al día, conocía el mundo desde un punto de vista distinto al de Francisco, el hijo de Pietro Bernardone: el punto de vista de quien pide, y no el de quien da.

Ninguna dificultad visceral —como la que sintió Francisco en una escena célebre— para besar las manos de un leproso en Juan, acostumbrado desde siempre a vivir en las riberas de esa legión de gentes miserables y enfermas de enfermedades horribles que atravesaba la próspera Europa del Renacimiento.

Otro aspecto de la «diferencia»: para Juan la familia, el vínculo de la sangre, no coincidía con una herencia y un prestigio que hubiera que negar, como en el caso, por ejemplo, de Benito de Nursia: para él, el rechazo de la familia que la opción de la vida monástica comporta siempre tenía su punto de apoyo en la esencialidad del proyecto interior, ese proyecto en el que luego se encontró coincidiendo con Benito o disintiendo de él a lo largo de las líneas de la historia de la espiritualidad, pero llevando en la formulación y en la ejecución del proyecto el signo concreto de su persona «diferente».

Aún más: su abandono del mundo en el momento de hacerse fraile no incluía —como, pongamos por caso, en Luis Gonzaga— el abandono de las «garrafas de cristal llenas de vino, y grandes cestas rebosantes de granadas, peras, manzanas, nueces, higos tardíos, uva blanca y negra, o soperas, bandejas, jarras, copas de mayólica y de plata» que constituían la maravilla espejeando hasta el infinito de una corte italiana del Renacimiento. Pero esto llevó a Juan a elaborar una forma de belleza particular.

Más útil aún —al objeto de dar grosor a la figura de Juan y anular el perfil devoto en que la han encerrado— puede ser la comparación con la que es conocida con su nombre de «santa», Teresa de Ávila, pero que aquí será llamada siempre por el nombre que ella misma se dio al hacerse carmelita descalza, el nombre con el que firmó sus libros espléndidos: Teresa de Jesús.

Teresa compartió con Juan un proyecto espiritual completamente moderno al estar basado en la construcción de un espacio interior capaz de regular toda la vida de la persona; un proyecto apenas tocado de refilón por el tema del trabajo y falto —por razones históricas que no es posible discutir aquí— de la fuerte proyección social del movimiento medieval de Francisco. Pero esta convergencia no nos puede hacer olvidar las dos grandes diferencias que les separaron.

La primera y fundamental diferencia consiste en que Juan y Teresa pertenecieron a los sexos distintos y opuestos de la especie humana, una «diferencia» fundamentante que atravesará todo nuestro recorrido. Aquí sólo merece la pena decir que Teresa y Juan se midieron, con una fuerza que no es razón secundaria de su grandeza, con esta diferencia fundamental —la cual se manifiesta vigorosamente, por ejemplo, en el hecho de que todas las vicisitudes de Teresa están marcadas por la figura del «confesor», mientras que nada sabemos de los confesores de Juan.

La segunda diferencia que está en la base de su experiencia es la pertenencia a dos estratos sociales distintos, una diversidad que en la España de Felipe II adquiría connotaciones muy particulares en las que vale la pena detenerse un momento.

Aceptar la propuesta de Teresa, hacerse carmelita descalzo en 1568, por ejemplo, no significó para Juan de Yepes —como veremos más detalladamente en el capítulo IV— el distanciamiento de la imagen de la casa paterna que la elección de un convento pobre y pequeño había significado en cambio para Teresa de Cepeda y Ahumada, burguesa de origen judío. Teresa, en una de las primeras relaciones de su vida espiritual, llega a escribir que sólo tras la conversión, a los cuarenta años, «Ningún asco tengo de los pobres, aunque les trate o llegue a las manos». Frase que probablemente expresa el asco enteramente burgués por el hedor nauseabundo de la miseria, un reflejo irreprimible en una persona situada en la franja de la gente que no hiede.

Es justamente Juan de la Cruz, en su primer libro, la *Subida del Monte Carmelo* (III, 25, 4), quien pone en estrecha relación el gusto excesivo por los olores suaves con el surgimiento del «asco de los pobres», comprendiendo muy bien —él, tan aseado en su persona que el servidor del refectorio encontraba su servilleta al cabo de una semana casi tan limpia como el primer día— el mecanismo de los «olores sociales» como auténtica tarjeta de admisión, como *status symbol.*

Parece que el padre de Juan procedía de una familia acomodada de comerciantes toledanos (toledana, de comerciantes de tejidos, era también la familia paterna de Teresa).

Al parecer vendían paños de lujo, brocados y damasquinados. Y puesto que en Toledo casi todos los comerciantes de este nivel eran de origen judío, se ha hablado de un posible origen judío de la familia paterna de Juan. Pero se trata de una hipótesis escasamente relevante, dado que todos los testimonios concuerdan en decir no sólo que el padre, Gonzalo de Yepes, había sido repudiado y desheredado por su familia a causa de su casamiento con Catalina, por razones que no quedan claras, sino, sobre todo, que murió prematuramente, cuando Juan tenía pocos años.

No hay, pues, en la historia personal de Juan de la Cruz, la certidumbre del origen judío que tenemos hoy —tras el descubrimiento fortuito de algunos papeles en el archivo de Valladolid— respecto de Teresa de Jesús. (De la misma manera, tampoco hay en su historia esa fuerte presencia paterna que hay en cambio en la de Teresa.)

Eso no es asunto de poca monta en el plano de los comportamientos y de lo vivido. Pertenecer a una familia de origen judío —y, como en el caso de Teresa, saberlo— implicaba en la España del siglo XVI una tupida red de silencios y de complicidades. Silencios y complicidades encaminados a defender la *honra*, la reputación basada en la opinión ajena, es decir, basada en la angustiosa necesidad de que los demás te tuvieran por «cristiano viejo» lo fueras o no.

Juan de Yepes y su familia también estaban al resguardo de otra de las angustias dominantes en las familias ricas de origen judío como la de Teresa: el miedo a caer en manos de la Inquisición. (En cambio, como veremos, el espiritual disidente que fue Juan de la Cruz no quedó al abrigo de esa angustia.)

Una de las razones que empujaban a los mercaderes y profesionales españoles de origen judío a una vida hecha de falsedades y apariencias, de esfuerzos no sólo por uniformarse en las prácticas cristianas sino por parecer *cristianos viejos e hidalgos* —ningún trabajo manual, buena casa y hermosos caballos—, está ligada a que a partir de algún detalle de la vida cotidiana —el día en que se hacía la colada, o la manera de hablar— podía surgir una delación anónima e iniciarse el procedimiento inquisitorial correspondiente.

La Inquisición española era uno de los instrumentos de la Corona, y un auténtico «cuerpo separado» del Estado. Había sido fundada en 1478 sobre todo con la tarea de controlar las conversiones forzadas de judíos, inducidas primero por una serie de pogromos y luego por el Edicto de expulsión de 1492. El mecanismo inquisitorial, además de perseguir una fanática reducción a la unidad, se movía también en virtud de un mecanismo viejo como el mundo y extendido por todo el planeta: la avidez de dinero. La puesta en marcha del procedimiento inquisitorial comportaba en realidad el embargo de los bienes del reo, bienes que iban a acrecer las arcas de la Inquisición y, por consiguiente, las rentas de sus *oficiales*. Un sistema, en suma, de confiscaciones garantizadas por la ley.

Pobre como era, el núcleo familiar que logró crear Gonzalo de Yepes estaba libre del clima irracional de miedo y de sospecha dominante en muchas familias de *cristianos nuevos*; libre del terror a la ruina que suponía un proceso y la confiscación. El miedo que puede leerse en una confidencia oída por una criada y luego comunicada por ella a la Inquisición: en casa de un mercader acomodado, éste se encerraba con su mujer «en una sala aparte para que los de su casa no le oyesen e allí dixo a la dicha su mujer que no teníamos Rey sino un bobo», y que «pluguiese a Dios que viniese de Francia guerras o que duraran las Comunidades para que destruiran la Inquisición, que los tenía echado a perder», y que ellos «sustentaban la Inquisición, que todos los que en ella entendían eran unos handrajosos».

Justamente: los «handrajosos» no tenían nada que temer, al menos en este plano, del mecanismo inquisitorial.

De esta condición suya —y de sus relaciones con el sistema ideológico profundamente anticristiano que separaba a los que tenían *honra* de los que no la tenían— se muestra bien consciente Juan de la Cruz, no sólo por su desdeñoso silencio sobre el tema sino también por rasgos de su comportamiento que se obtienen de algunos testimonios.

Hay por ejemplo un testimonio revelador según el cual Juan de la Cruz, prior por entonces del convento de los Mártires de Granada, un día que estaba trabajando en el huerto del convento recibió la visita de un fraile de otra orden, quien le dijo: «Vuestra paternidad debe ser hijo de un labrador, pues tanto gusta de la huerta que nunca le vemos por allá». Y Juan respondió: «No soy tanto como eso, que hijo soy de un pobre tejedor». Una frase audaz en la España de la segunda mitad del siglo XVI: significaba dejar claro, casi hacer alarde de que sus orígenes no le situaban en la casta de los vencedores, entre los labradores, campesinos ricos y, sobre todo, «cristianos viejos», sino en la casta de los vencidos, de los trabajadores manuales que eran por lo común, como en el caso de los tejedores, «cristianos nuevos» de origen islámico. Era una declaración completamente insólita en una sociedad basada en el esfuerzo de todos por parecer «cristianos viejos»; ese esfuerzo que ridiculiza Miguel de Cervantes en el entremés titulado *El retablo de las maravillas*.

Pero en otro caso la reivindicación es aún más clara y orgullosa. Una vez, también en Granada, al presentar a su hermano Francisco, analfabeto y marginal, Juan dice: «Conozca vuestra merced a mi hermano, que es la prenda del mundo que más estimo. Aquí trabaja en la huerta y en la obra gana su jornal como los demás peones, *porque no tiene otra hacienda sino su trabajo*» (el subrayado es mío). Todo esto le ha hecho decir a un estudioso de los problemas sociales del siglo XVI español que con Juan de la Cruz estamos ante una personalidad basada en el desafío a la ideología dominante y en la negativa a aceptar cualquier identificación que no pasara por el hombre interior, por la crítica radical de todo valor socialmente establecido.

Estamos sobre todo, me parece, ante una personalidad que —gracias a su constante hacerse «extranjero» al mundo, con su estar en la soledad y gracias a una auténtica creatividad— dio una reinterpretación mística de la pobreza como condición social y de la pobreza como tema ascético y penitencial: la pobreza como vía hacia la fulgurante unión con Dios. El abandono de los bienes terrenos, en suma, no como «mortificación» exterior, sino como manifestación de algo más profundo: como signo de lo que se ha llamado la «pasión por la pérdida», que ante todo es voluntad de pérdida de toda identidad rígida y conformista. Un perderse y disgregarse para reencontrarse luego en un grado de agregación mucho más alto. Una vía para la felicidad. «Leur plaisir est de n'avoir rien», escribirá en el siglo XVII el místico francés Jean Surin en uno de sus *Cánticos espirituales.*

Toda la trayectoria personal de Juan de la Cruz durante la infancia y la adolescencia está marcada por su condición de pobre. Pero hay algo más: él vivió en la condición social considerada por los grupos dominantes de toda la Europa del Renacimiento como de gente «sin calidad», la condición propia de quien desarrollaba actividades manuales, «artes mecánicas». (Incluso un ensayista «liberal» como Huarte de San Juan podía escribir: «Ninguna cosa abaja tanto al hombre como ganar de comer en oficio mecánico».)

Tal era el hombre que se sentaba ostentosamente en el suelo en el salón segoviano.

Otra cosa es cierta: la madre fue una figura fundamental de la infancia de Juan y tal vez durante toda su vida. Una madre trabajadora, tejedora pobre, que en los papeles de uno de los conventos teresianos vemos llamar con la familiaridad con que en ciertos ambientes se llamaba por lo común a los inferiores: «la Catalina».

Muy lejos, Catalina, madre trabajadora y seguramente analfabeta, que en la lucha contra la miseria se aventuró en extraños manejos, como el de recoger a niños abandonados y criarlos a expensas del municipio; muy lejos, pues, de la madre de Teresa, de quien su hija traza un retrato inolvidable en los capítulos I y II del *Libro de la vida*:

> Mi madre también tenía muchas virtudes y pasó la vida con grandes enfermedades [...] Con ser de harta hermosura, jamás se entendió que diese ocasión a que ella hacía caso de ella [...] Era aficionada a libros de cavallerías, y no tan mal tomava este pasatiempo como yo le tomé para mí, porque no perdía su lavor, sino desenvolvíemenos para leer en ellos [...] Y por ventura lo hacía para no pensar en grandes trabajos que tenía [...]

Una amalgama de «la perfecta casada» dibujada en los manuales de la época y una Madame Bovary *ante litteram*, lectora como ella de novelas, que vehiculan deseos insatisfechos a la vez que los filtran.

«La Catalina» estaba muchísimo más lejos aún de la madre del otro gran protagonista del Carmelo descalzo, ese Jerónimo Gracián de la Madre de Dios a quien Teresa conoció cuando ella tenía ya sesenta años y que escogió inmediatamente —también en contra de Juan de la Cruz— como su amigo, hijo y heredero predilecto. El padre de Gracián era «cristiano viejo» y se ganaba la vida traduciendo clásicos griegos y latinos: he aquí otro universo distinto de aquel en que vivió Juan de la Cruz. Dos de los hermanos de Gracián eran secretarios de Felipe II; estaban, pues, muy cerca del poder. Y a su madre, Juana Dantisco, Teresa la trató de igual a igual cuando aquélla fue a visitarla al convento de Toledo en septiembre de 1576.

Catalina y sus hijos vivieron, en conclusión, en los márgenes del gran ejército de mendigos que atravesaba Europa entera y cuyas filas se adensaban particularmente en España.

Para llegar a comprender un poco al menos el itinerario de este creador solitario habrá que recordar siempre que tuvo muchas ocasiones de ver en la gente que estaba a su alrededor, o incluso en su propio rostro —y en el de sus hermanos— la imagen del hambre, de la «enfermedad de la miseria» tal como la encontramos descrita a través de testimonios de la época en los libros de Pietro Camporesi: «Se ve a casi todos reducidos a una flaqueza deforme a modo de momias».

Fue el hambre, el espectro del hambre, lo que empujó a Catalina a mudarse de Fontiveros, donde había nacido Juan en 1542, primero a Arévalo y luego a Medina, donde se cumplió el destino de Juan de Yepes.

En Medina, donde vivió desde los nueve hasta los veintidós años, Juan irá a la escuela, a la elemental primero y luego a la superior. En Medina ha de hacerse fraile y en Medina ha de encontrar a Teresa.

APOSTILLA I

Al lector familiarizado con la biografía de Juan de la Cruz conviene explicarle por qué apenas se alude, en este primer capítulo, a la historia contada por su hermano según la cual el padre, rico comerciante toledano, al pernoctar por casualidad en Fontiveros durante un viaje de negocios a Medina del Campo, se enamoró de Catalina y decidió casarse con ella. Los padres de él —siempre según la versión de Francisco— le repudiaron y desheredaron debido a la condición «humilde» de Catalina.

El historiador carmelita Teófanes Egido, profesor de historia moderna de la Universidad de Valladolid, ha desmontado recientemente esta historia en una serie de ensayos publicados con ocasión del cuarto centenario de la muerte de Juan de la Cruz, serie cerrada con «Claves históricas para la comprensión de Juan de la Cruz», en AA. VV., *Introducción a San Juan de la Cruz* (Junta de Castilla y León, Valladolid, 1991). La tesis de Egido es que la historia fue inventada en el marco de la exigencia y el deseo de Francisco, el hermano —que sobrevivió a Juan—, y de sus consejeros, de «ennoblecer» los orígenes del futuro beato en el curso de los procesos de «santificación» (véase la *Apostilla* al capítulo X).

No se ha confirmado ni fundamentado documentalmente la hipótesis, introducida para explicar la violencia de la reacción contra ese casamiento, de que Catalina pudiera ser una morisca, esto es, que procediera de una familia de conversos de origen islámico. De todos modos la sustancia del problema no queda alterada en ningún caso: lo cierto es que Juan nació en una familia paupérrima y, por ello, en el ambiente fuertemente islamizado que era el propio de los pobres de la Moraña, la comarca donde está Fontiveros. Es importante la reconstrucción de este ambiente que hace José Jiménez Lozano en el prólogo a Juan de la Cruz, *Poesías* (Taurus, Madrid, ²1994). A partir de la figura de Juan, Jiménez Lozano ha construido posteriormente, con feliz invención narrativa, *El mudejarillo* (Anthropos, Barcelona, 1992).

Sobre el problema del ser «sin calidad» en el siglo XVI hay que destacar el ensayo de Juan Ignacio Gutiérrez Nieto «El problema de la limpieza de sangre en la España de San Juan de la Cruz», en *II Simposio sobre San Juan de la Cruz*, Ávila, 1989.

Los datos bibliográficos de los libros de Piero Camporesi son los siguientes: *Il pane selvaggio* (Il Mulino, Bolonia, 1980) [trad. cast., *El pan salvaje*, Montena, Madrid, 1986]; *La terra e la luna* (Il Saggiatore, Milán, 1989); *La miniera del mondo* (Il Saggiatore, Milán, 1990).

II

ARTESANO/ARTISTA

Santa Ana, escultura en madera de Juan de Juni.

En el último libro de Juan de la Cruz, el comentario a la poesía *Oh llama de amor viva*, aparece un lenguaje ciertamente singular en un texto místico:

> No cualquiera que sabe desbastar el madero sabe entallar la imagen, ni cualquiera que sabe entallar sabe perfilarla y pulirla; y no cualquiera que sabe pulirla sabrá pintarla, ni cualquiera que sabe pintarla sabrá poner la última mano y perfección.

Parece que estamos en un obrador artesano, en uno de esos talleres donde entonces se hacían en Castilla tallas admirables.

En realidad Juan de la Cruz es uno de los escasos escritores que han conocido el trabajo manual antes que el intelectual. Su madre le envió al taller primero de carpintero, después de sastre, luego de grabador y finalmente de pintor. Y entretanto Juan ayudaba en su casa, de buen grado y con ahínco, en la labor de tejer.

Durante toda su vida le quedó el gusto que nace del trato con la materia en su estado puro: el gusto por el contacto con la madera que tan bien se deja trabajar y esculpir. Incluso de prior, cuando «tenía tiempo libre se ocupaba, a modo de recreación, en tallar ciertos Cristos de madera que solía hacer».

También en *Noche oscura* (1, 10, 5), a propósito de los escrúpulos que pueden asaltarle al contemplativo de que pierde el tiempo y que «sería bueno hacer otra cosa, pues en la oración no pueden hacer ni pensar nada», al sostener la afirmación de que con la agitación originada por los escrúpulos el alma perderá los bienes de paz y de tranquilidad espiritual que Dios estaba haciendo fluir en ella, Juan hace la siguiente comparación:

> [...] bien así como si algún pintor estuviera pintando o alcoholando un rostro, que, si el rostro se menease en querer hacer algo, no dejaría hacer nada al pintor y deturbaría lo que estaba haciendo.

Y en el capítulo 16, par. 8 del Libro II de su obra suprema, al hablar de cómo el alma avanza «segura» en la «noche oscura» de la fe y de la contemplación infusa, recurre a la comparación siguiente:

> Ni más ni menos el que va sabiendo más particularidades en un oficio o arte, siempre va a oscuras, no por su saber primero, porque si aquel no dejase atrás nunca saldría dél ni aprovecharía en más.

Juan de la Cruz conservó durante toda su vida la actitud de quien sabe hacer cosas con las manos y está siempre disponible para el trabajo manual; como una mujer, en una palabra.

En los relatos que hace Teresa de las fundaciones de nuevos conventos le vemos dispuesto a levantar o derribar tabiques. (Y había muchos que tirar o levantar cuando se tenía que habilitar las pobres casas que Teresa lograba alquilar o comprar para sus monjas, venciendo mil resistencias, en el centro de las ciudades castellanas: unas casas concebidas para la vida familiar y que había que adaptar a la vida comunitaria de un grupo de mujeres.) Cuando Juan fue al convento femenino de Beas se dedicó a reponer tabiques, a rehacer suelos, a ordenar los utensilios de la sacristía. Y en Granada, donde fue prior, además de erigir un claustro que se convirtió en el centro del convento, trabajó personalmente en la construcción de un acueducto. Juan estaba siempre dispuesto, incluso siendo prior, a ayudar al pintor a preparar una pared o a meter las manos en el barro para alzar un muro con los albañiles. Eso le diferencia de Teresa —mujer y burguesa—, que como mucho podía supervisar las obras. Dispuesto, Juan, incluso a cocinar, especialmente para los enfermos:

> «Pues, hijo, yo quiero disponerle la comida y dársela de mi mano; yo le haré una salsilla con que le sepa bien.» Mandó asar una pechuga de ave, y traída, tomó un poco de sal y la echó en un plato, deshaciéndola con una poca agua; y mojando la pechuga en esta salsilla se la dio él mismo por su mano a comer, diciendo: «Esto le ha de saber muy bien y con ello ha de comer de buena gana»; y fue así que lo comió con gusto y le supo muy bien.

Una receta de cocina «pobre», pero realizada y servida con gran sabiduría humana. Convencido Juan, como Teresa, de que un superior debe ser siempre el primero en cumplir las tareas cotidianas de la vida comunitaria, como barrer y cocinar.

Con las mujeres, además, con las monjas, tenía en común la habilidad en el hilar y en el tejer: los conventos teresianos intentaron vivir de eso. Jamás se le ocurrirá a Juan sentir sus manos como «objetos extraños, instrumentos inservibles».

Pues primero como «hijo de la Catalina» y luego como aprendiz de taller artesano Juan de Yepes vivió inmerso en barrios habitados por pequeños artesanos, trajineros, hortelanos, poceros, pobres tejedores, alarifes, albañiles, el mundo que ha evocado José Jiménez Lozano en *Sobre judíos, moriscos y conversos*. Barrios asediados no sólo por el hedor de la miseria y por condiciones higiénicas que ignoraban los albañales, sino también por los malos olores de algunos oficios, como por ejemplo el de los curtidores. Gentes, todas ellas, siempre en el límite entre trabajo productivo y marginalidad;

divididas entre quienes lograban de algún modo llegar a fin de mes —como la madre de Juan— y los que refluían en el gran ejército de indigentes que ya hemos visto aparecer junto a Catalina y sus hijos. Barrios, esos en los que vivió Juan de la Cruz entre Fontiveros y Arévalo —en los años más «formativos», o sea, los de la infancia—, poblados en su inmensa mayoría por moriscos. Poblaciones de musulmanes convertidos a lo largo de los siglos, que vivían en los márgenes de la sociedad establecida, en los márgenes del «mundo».

Pero Juan, aunque en palabras de su hermano Francisco «se empeñaba mucho en intentar ganarse la vida», no salió adelante en ninguno de los oficios en los que Catalina trató de encarrilarlo. Evidentemente, se incubaba en él la resistencia propia de un temperamento creador, el fermentar en su mente de una forma de ideación distinta, bastante más abstracta y general. Era la manifestación precoz de lo que será a la vez el lado oscuro y el lado luminoso de su personalidad: el ser «extranjero» (como ocurre en Kafka). Acaso significó también la irrupción en su mente de ese rasgo fundamental de la experiencia artística por el cual algo que llega a tocarte interiormente se materializa en seguida en la mente —y en el caso de Juan de la Cruz en dos ámbitos, el verbal y el figurativo— en una imagen, en un estadio primario de representación que busca de manera apremiante encontrar su forma. Algo totalmente mental, pero no por esto menos real. Ese impulso a la construcción de nuevas formas mentales que define a un creador y marcará el modo de ser y de vivir de Juan de la Cruz.

Es la experiencia artística impulsada desde la interioridad la que vemos irrumpir en otro pasaje extraordinario del comentario a *Llama de amor viva*:

> [...] si en un rostro de extremada pintura tocase una mano muy tosca con extraños y bajos colores sería el daño mayor y más notable que si borrase muchas más comunes, y de más lástima y dolor; porque aquella mano tan delicada que aquél deturbó, ¿quién la acertará a poner?

Es ese impulso a inventar formas del que nació el *Cristo Crucificado* de los años de Ávila o el claustro del convento de Granada, un claustro diseñado por Juan y hoy desgraciadamente perdido; el claustro del que un testigo dice que «siempre parecía nuevo».

De esos fracasos nació el perfil que surge de algunos testimonios y de los primeros biógrafos: el niño que «aprendió muy de prisa a leer y escribir muy bien» en el Colegio de la Doctrina (la escuela elemental para niños pobres) al que le mandaron; el niño a quien la madre —¡qué atenta, cuidadosa y sensible, «la Catalina»!— sorprendía en plena noche estudiando en el granero a la débil luz de un candil.

Por caminos que no conocemos bien, pero que pueden haber tenido su origen en esos fracasos suyos como artesano, Juan de Yepes empezó a trabajar de enfermero en el hospital de la Concepción de Medina.

Las tareas eran muchas y variadas: recaudar fondos —pidiendo limosna una vez más— para el hospital, el cual, pese a dirigirlo un hombre sabio e ilustrado, dependía para todo de la caridad pública. Y estaban además las tareas más estrictamente de enfermero, ligadas a la atención material de los enfermos.

Ciertamente, esto fue para Juan ocasión de muchísimas experiencias.

Significó, ante todo, la experiencia directa y concreta de la enfermedad en sus más fastidiosas miserias. Y, ciertamente, esta experiencia juvenil fue la que de prior le volvió tan atento a los problemas de los enfermos. En primer lugar, a la alimentación. «Si los veía desganados de comer, les traía a la memoria cuantos géneros de guisados sabía y de cosas comestibles por incitarles el apetito, y si apuntaban a señalar algo a que se inclinasen, aunque fuese dudando si lo comerían, se lo procuraba y hacía haber», según cuenta un testigo. Que añade: «Y este cuidado igualmente le ponía con el corista, lego o donado». Juan de la Cruz llegaba no sólo a rehacer la cama o preparar personalmente la comida de los enfermos más ancianos —en Baeza tuvo que enfrentarse además con una epidemia de gripe—, sino también a contarles a los enfermos chascarrillos y cuentos. Anécdotas y relatos populares que Juan debía conocer bien por haberlos escuchado —como Miguel de Cervantes— en su vida de pobre. Un testigo particularmente agudo recuerda que «Juan decía que aunque eran cuentos del mundo, no eran ociosos, sino de provecho». Rasgos, todos ellos, que revelan lo que era el ascetismo para Juan: dedicarse a hacer y decir cosas que seguramente no estaban en el centro de sus pensamientos; saber, como saben los pobres, que «la comida es buena» (como descubrió Buda tras su período de ascetismo furibundo) y que, como saben los espíritus libres, la risa es la mejor medicina del mundo.

En los escritos de Juan de la Cruz hay muchas huellas de estas experiencias suyas como enfermero.

En su libro más significativo, el libro segundo de *Noche oscura* (16, 10), se lee como sigue:

> porque, como está puesta aquí en cura esta alma para que consiga su salud, que es el mismo Dios, tiénela Su Majestad en dieta y abstinencia de todas las cosas, estragado el apetito para todas ellas; bien así como, para que sane el enfermo que en su casa es estimado, le tienen tan adentro guardado, que no le dejan tocar de el aire ni aun gozar de la luz, ni que sienta las pisadas ni aun el rumor de los de casa, y la comida muy delicada y muy por tasa de sustancia más que de sabor.

En sus escritos se encuentran frecuentes huellas de su conocimiento de la enfermedad. En *Subida del Monte Carmelo* (III, 25, 5) se lee: «Del gozo en el sabor de los manjares derechamente nace gula y embriaguez... De ahí nace el destemple corporal, las enfermedades». O bien en *Noche oscura* (II, 5, 5): «cuando los ojos están de mal humor impuros y enfermos, del embestimiento de la clara luz reciben pena...». O bien en *Subida del Monte Carmelo* (I, 6, 6): «es como el enfermo de calentura, que no se halla bien hasta que se le quita la fiebre y cada rato le crece la sed». O como en una carta a las descalzas de Beas, donde dice: «el que come sobre lo indigesto [...] no tiene fuerza para todo convertirlo en sustancia, y engéndrase enfermedad».

El hospital de la Concepción de Medina —destinado como estaba a la cura de la sífilis, «de las bubas», esto es, de la enfermedad venérea que arreciaba entonces en toda Europa— ofrecía elementos particulares de reflexión y de experiencia. Aquel hospital se había fundado en Medina para hacer frente a este azote. También los Fugger, los grandes banqueros, habían financiado y organizado con este fin grandes hospitales en Alemania, hospitales que a menudo se transformaban en refugios llenos de presencias poco tranquilizadoras. Aquella enfermedad, que se originaba en las relaciones sexuales, debió suministrarle a Juan muchos elementos de reflexión sobre el engaño de los apetitos desordenados: engaño, justamente, a fin de alcanzar la felicidad y el placer terrenal que por sí mismos parecían reivindicar.

El período en que trabajó como enfermero en el hospital de Medina, por último, debió darle a Juan de la Cruz algo más profundo. Debió hacerle partícipe de lo que en *Il pane selvaggio* de Piero Camporesi se describe como un sentimiento propio de esa segunda mitad del siglo XVI, una época en que «se aguzó oscuramente la sensación de impotencia del hombre para gobernar su propio destino». Fue la época de las más feroces talas de bosques; la época en que el veneciano Giovanni Maria Bonardo escribía, en 1586: «lo que la naturaleza hizo (pájaros, peces, bestias, árboles y flores) perece para mantener nuestra mísera vida, tan difícil y violento es poderla mantener». Unos tiempos, en suma, en los que algunas vislumbres de consciencia del desenfrenado saqueo perpetrado por el hombre contra la naturaleza van acompañadas de la consciencia —pues es también la época de aquel genio sincero que fue Maquiavelo— de la lucha incesante del hombre contra el hombre. Y, a la vez, de la sospecha de que precisamente por esta lucha incansable «se abría el camino a mil enfermedades, de modo que nuestros propios humores, en los que se basa la vida, son nuestros enemigos al pugnar entre sí por nuestra destrucción». Estamos en los umbrales de la gran batalla basada en el descubrimiento de bacterias, virus y vacunas. En los umbrales de nuestros perplejos y complicados tiempos.

Fue la perspicaz amplitud de miras de Alfonso Álvarez de Toledo, administrador del hospital, lo que sacó a Juan de la Cruz de un destino subalterno y oscuro. Este hombre penetrante e ilustrado reparó en la particular aptitud y pasión para con el estudio de aquel muchachito moreno y menudo. Permitió que el joven enfermero asistiera durante unas horas por la mañana y algún rato por la tarde a aquella especie de «bachillerato de letras» —estudios de gramática, retórica y un poco de filosofía (y nada de álgebra o geometría)— que habían abierto los jesuitas en Medina y que Juan frecuentó en calidad de estudiante-trabajador. Y, así, se contaba en el hospital que «cuando iban a buscarle de noche lo encontraban estudiando». Se dedicó tanto al estudio que «en poco tiempo supo y mucho en la Compañía de Jesús».

Durante los años en que frecuentó los estudios clásicos —además de las fascinantes posibilidades del lenguaje poético y en prosa en las páginas de los escritores antiguos— Juan debió descubrir la extrema dimensión radical del conocimiento como esfuerzo por ir «más allá», de pasar como a través de un muro hacia lo desconocido, hacia lo incognoscible. Y, al mismo tiempo, los límites de tal esfuerzo.

Pues de hecho no se hizo jesuita, ni escogió una orden religiosa basada en el saber. Ni siquiera aceptó el puesto de capellán del hospital que le ofreció Álvarez de Toledo con paternal solicitud. Rechazó de este modo una «carrera» normal de sacerdote. Eso habría significado salir de la insegura y fatigosa condición de trabajador manual para convertirse en mediador de salvación y de consuelo. Habría podido vivir con su madre en una casa decorosa, o sea, en el justo medio entre las de los ricos y las de los pobres. Unos pocos amigos escogidos, alguna visita; acaso reanudar el contacto con los ricos parientes de Toledo. Administrar los sacramentos, decir misas, asistir espiritualmente a los enfermos y a los agonizantes, y mucho tiempo libre para leer, para estudiar, para escribir.

Y en cambio un día Juan, casi a escondidas, como si huyera de algo, igual que Teresa al entrar en el monasterio de la Encarnación, fue a llamar a la puerta del convento de Santa Ana que los carmelitas tenían en Medina. Se hizo fraile: vida comunitaria según una regla —y en seguida solicitó seguir la regla más antigua y severa y lo obtuvo—, con el espacio y el tiempo reglados por un proyecto de antiguas raíces históricas.

A partir del momento en que entró en una orden religiosa, que formaba parte de la gran institución eclesiástica, el sexo empezó a connotar fuertemente su historia. Y no sólo —como es obvio, pero es bueno recordarlo— porque excluía de sus proyectos el matrimonio como solución, sino porque le situaba en una condición marcada por el hecho de ser de sexo masculino.

La discriminación sexual había funcionado ya, y en este caso a favor suyo, cuando se le abrieron las aulas de la escuela de los jesuitas, reservadas obviamente sólo a los varones. Pero en el momento en que entró en la orden carmelita se disparó el mecanismo que en su tiempo separaba poderosamente a los hombres de las mujeres; a él se le pidió, casi se le impuso, que fuera a estudiar a la universidad de Salamanca. La orden necesitaba sacerdotes licenciados, y no podía perder la ocasión que se le presentaba con este joven fraile tan inclinado a los estudios y que ya leía y escribía en latín: tenía que ir a la universidad. Juan fue destinado así a convertirse en un «letrado», en uno de los que recibían —todos varones— una formación superior como teólogos, como juristas o como médicos. Significaba convertirse en alguien que iba a encontrarse en situación de intercambiar ideas y proyectos con quienes tenían poder. Porque aquel saber era un poder, y como tal era considerado y vivido por la inmensa mayoría de las personas.

Cuando además fue destinado a convertirse en sacerdote —pese a sus resistencias sobre este punto—, de hecho Juan se convirtió en depositario de la palabra dotada de poder, de la palabra que puede absolver los pecados y transformar la substancia del pan y del vino; adquirió así, definitivamente, el uso de la palabra pública en la predicación y en la enseñanza acerca de cuestiones relativas a la relación con Dios; vio que se le confiaba el derecho y el deber de comentar la Escritura, que a él, varón y sacerdote, le era dado leer enteramente en latín. Mientras que para una mujer el hecho de haber leído en público las epístolas de san Pablo podía convertirse, como le había ocurrido a María de Cazalla a principios del siglo XVI, en una de las acusaciones principales de un proceso ante la Inquisición.

Sólo que Juan —y lo revela su inclinación primero por los carmelitas y luego por los cartujos—, frente a la «letra» de la teología escolástica y la «ciencia», fue prefiriendo y escogiendo la vía de la «experiencia», del conocimiento experimental de Dios a través de la vía de la pasividad que iban estudiando y practicando los espirituales de toda Europa por aquellas décadas. Esa «experiencia» que no se aprende como no sea a través de la experiencia misma. Una experiencia que se basa en el lenguaje interior, que es necesariamente «vulgar», y que, por consiguiente, pueden conocer, desarrollar y practicar incluso «las mujerucas y los ignorantes», como fueron repitiendo los grandes escritores espirituales españoles del siglo XVI, desde Juan de Valdés, desterrado y perseguido, a Francisco de Osuna, que fue maestro de Teresa.

Con esta elección de fondo suya, a la que permaneció verdaderamente fiel durante toda su vida y por la que padeció cárcel y persecución, Juan de la Cruz defendía y construía dos cosas bastante importantes. En primer lugar, defendía por sí mismo el acceso a las fuentes oscuras y profundas de la creatividad artística, esos itinerarios de acceso al inconsciente que de manera diversa y según distintas lecturas es considerado de todos modos primario para la escritura poética. Pero por ese camino, además, construía y defendía por sí misma una vía de relación con las mujeres, esto es, con la mitad de la humanidad que por una parte permanecía marginada del dominio de la «ciencia» y excluida de la palabra pública, pero que por otra había elaborado históricamente una extraordinaria capacidad de experiencia que incluía el «silencio», cuando el silencio es opción creadora y voluntaria.

Se definió entonces —precisamente en vísperas de aquel hadado encuentro en Medina, adonde Juan había vuelto desde Salamanca para celebrar su primera misa— la compleja relación entre Juan de Yepes y Teresa de Cepeda y Ahumada, o sea, entre Juan de la Cruz y Teresa de Jesús; relación que, como se ha dicho, quedó marcada desde el principio por el distinto sexo de cada uno. Una relación que siempre se desarrolló dentro de las mallas de ese condicionamiento de fondo pero que cobró un dinamismo y una contradictoriedad tales que ha dejado huellas, mucho más allá del Carmelo y de la Iglesia católica, en la historia de la consciencia humana de los problemas de la angustia y de la felicidad.

Teresa se encontró de hecho luchando a todos los niveles con las dificultades que se le derivaban de su exclusión de las «letras», de la formación universitaria; y por tanto siempre dispuesta en sus escritos más oficiales a admitir su inferioridad como mujer «sin letras»; pero que reivindicaba en escritos clandestinos, como el comentario al *Cantar de los Cantares*, una forma de conocimiento que los «letrados», «que quieren llevar las cosas por tanta razón y tan medidas por su entendimiento», no siempre tienen. Juan, empeñado durante toda su vida en negar en sí mismo el poder que se derivaba del hecho de ser «letrado», pero en compensación dotado objetivamente al escribir de la instrumentación racional y discursiva que se derivaba de sus conocimientos de teología escolástica.

Se encontraron en cambio en profundidad, Teresa y Juan, en el proyecto de fundar —en la soledad y en el silencio— un espacio interior; y en la firme reivindicación de la profunda unidad entre trabajo manual y experiencia espiritual. Mostrándose Juan constantemente inclinado a alternar el trabajo intelectual, como hemos visto y como veremos, y el trabajo manual.

Sobre el telón de fondo de este conjunto de motivos e implicaciones hemos de ver la decisión tomada por Juan de Yepes de entrar en el Carmelo, una antigua orden contemplativa, nacida en el siglo XII en las laderas del monte Carmelo, en Palestina, en torno al personaje del profeta Elías y el culto antiquísimo a una virgen.

APOSTILLA II

El único perfil biográfico de Juan de la Cruz que ha hecho hincapié no sólo en la pobreza natal de Juan sino también en que fue «primero trabajador manual y después trabajador intelectual», con una distinción que le habría gustado a Gramsci, es el que figura en un libro publicado en París en los años veinte, Jean Baruzi, *Saint Jean de la Croix et le problème de l'expérience mystique* (hay una traducción española, *San Juan de la Cruz y el problema de la experiencia mística*, Junta de Castilla y León, 1991, con prefacio de José Jiménez Lozano, postfacio de Rosa Rossi y traducción de Carlos Ortega). La de Baruzi es la única biografía con valor crítico hasta hoy escrita de Juan de la Cruz, aunque inevitablemente falta de atención —como destaco en el postfacio antes citado— por la cultura material y la diferencia sexual, que nos viene de décadas de investigaciones antropológicas y críticas feministas.

Ese perfil biográfico ha sido ignorado durante mucho tiempo en los ambientes oficiales de los descalzos, hasta el punto de que José Vicente Rodríguez —carmelita conocido como especialista en Juan de la Cruz—, en un ensayo publicado con ocasión del IV Centenario de la muerte, «Historiografía sanjuanista: inercias y revisiones», en AA. VV., *Aspectos históricos de San Juan de la Cruz* (Ávila, 1990), ni siquiera lo menciona entre las «biografías modernas». Teófanes Egido, en cambio, en el artículo «Un santo sin biografía», en el número 537 de *Ínsula* de septiembre de 1991, ha reconocido ampliamente sus méritos. Una discusión de las biografías se hace en Rosa Rossi, «Consideraciones sobre la biografía de Juan de la Cruz», en *mientras tanto* (Barcelona), n.º 23, mayo de 1985 (traducción de Manuel Sacristán).

Para un desarrollo del análisis de las asimetrías lingüísticas en relación con la constelación hombre/mujer, ver Rosa Rossi, *Le parole delle donne* (Editori Riuniti, Roma, 1978).

III

LA «SOLEDAD SONORA»

Dibujo original de Juan de la Cruz.

Juan de Yepes, convertido en Juan de Santo Matía en la orden de los carmelitas calzados, encontró pues en 1568 a Teresa de Jesús, la cual, a su vez, se había hecho carmelita descalza —es decir, «reformada»: también se había llamado «descalza» la reforma franciscana de Pedro de Alcántara— a través de un complejo proceso de conversión personal y reforma comunitaria.

Manifiestamente desilusionado en sus aspiraciones más profundas por la situación existente entre los calzados, Juan había proyectado entrar en la cartuja: soledad absoluta y silencio perfecto, según la tradición benedictina renovada por san Bruno; ir a vivir a un monasterio grande, rodeado de tierras propiedad del monasterio mismo y de una pequeña comunidad de tiendas y de servicios; separación total de los afectos familiares para acumular energía interior, para volver a fundar en otra parte su propia existencia.

Teresa de Cepeda se le presentaba no sólo como quien había obtenido del General italiano de la Orden, durante una visita al Carmelo español, la autorización para fundar conventos de monjas y de monjes, sino también, y sobre todo, como la ideadora de un nuevo proyecto de vida comunitaria y espiritual; como la encarnación ante sus ojos, por ello, de ese momento precioso en la vida de todo ser humano en el que cesa el condicionamiento y nace la libertad:

el momento en que nace una nueva cala de la consciencia humana respecto de las posibilidades de controlar nuestro destino de animales pensantes.

Teresa —que también se le presentaba como quien recientemente había terminado de escribir dos libros, una autobiografía, el *Libro de la vida*, y un manual de vida contemplativa y comunitaria, *Camino de perfección*— le ofrecía pues el riesgo y el cambio, la perfección y la utopía. Ese proyecto teresiano tenía entre otras cosas el mérito de ser dicho —en las *Constituciones* que Teresa ya tenía escritas y que sin duda le mostró— en un lenguaje que le era familiar: un lenguaje en el que se dice, por ejemplo, que las monjas deben «ayudarse con la labor de sus manos» para vivir, un punto en el que, aunque se repetía la formulación existente en la Regla primitiva, citando a san Pablo —«quien no quisiese trabajar que no coma»—, se decía a propósito de comunidades que, al ser femeninas y por ello carentes de funciones sacrales y de especialización intelectual, sólo podían pensar en mantenerse recurriendo al mismo trabajo —hilar y tejer— que para Juan era familiar en sentido propio: el trabajo que había visto hacer a su madre y en el que él mismo había colaborado de niño. Un trabajo, como hemos visto, «vil», de gente «sin calidad».

Pero Teresa le ofrecía, sobre todo, soledad en la celda, práctica del silencio y una línea enteramente interior, espiritual y contemplativa de la relación con Dios. Y él aceptó «con que no se tardase mucho».

Así nació «Juan de la Cruz», el nombre que tomó como carmelita descalzo; así nació quien para nosotros puede ser un maestro en dos aspectos esenciales de la condición humana: la capacidad para estar en soledad, para estar uno consigo mismo, y la disponibilidad auténtica para con los demás. Una «soledad sonora».

Se trata de un estar en soledad que no coincide, como veremos, con estar solos físicamente, pero que es condición interior esencial para el encuentro con el Amado: probar la certeza de que el otro está ahí dentro de mí, y que yo estoy dentro de él.

Walter Benjamin escribió una vez en *Diario de Moscú*, reflexionando sobre su tormentosa relación con Asja Lacis, que «para nosotros no hay soledad si en ese mismo momento la persona amada está sola también». Pues bien: en la historia de soledad y de amor que Juan de la Cruz se proponía a sí mismo y a los demás, era cierta la absoluta soledad de un Dios infinito.

En *Cuatro avisos a un religioso* vemos a Juan definir como sigue la vía para realizar la soledad: «conviene tener todas las cosas del mundo por acabadas; y así, cuando, por no poder más, las hubiere de tratar, sea tan desasidamente como si no fuesen». Incluso en su formulación más abstracta y general, pues, como la que hay en este texto, lo que Juan aconseja no es el retiro de las cosas absoluto y egoísta, sino una relación con las cosas del mundo construida a partir del distanciamiento, de esa actitud interior que luego se expresa exteriormente en la serenidad imperturbable de quien se mueve en el mundo llevando consigo una inspiración distante y superior. En *Subida del Monte Carmelo* (III, 6, 3), Juan escribe lo siguiente:

> [...] las penas y turbaciones que de las cosas y casos adversos en el alma se crían de nada sirven ni aprovechan para la bonanza de los mismos casos y cosas [...] y así, aunque todo se acabe y se hunda y todas las cosas sucedan al revés y adversas, vano es el turbarse, pues, por eso, antes se dañan más que se remedian. Y llevarlo todo con igualdad tranquila y pacífica, no sólo aprovecha al alma para muchos bienes, sino también para que en esas mismas adversidades se acierte mejor a juzgar de ellas y ponerles remedio conveniente.

Es la lección de los sabios antiguos —Juan fue muy consciente de ello, y a eso alude en el capítulo 27 del libro III de *Subida*—, una lección depositada en las páginas de Epicuro o de Séneca. Pero no duele oírsela repetir a alguien a quien han aplastado bajo el cliché del santo «estático y sublime».

Los testimonios concuerdan insistentemente al hablar de su imperturbabilidad. He aquí lo que dice de eso un hombre, un cofrade: «Nunca le ví colérico ni impaciente, ni hablar una palabra descompuesto, porque era grande su magnanimidad y tolerancia». Y una mujer, una monja del Carmelo: «jamás le ví inquieto ni turbado ni impaciente, sino siempre con un ánimo pacífico, igual y muy quieto».

Otros testimonios permiten ver en concreto cómo se manifestaba esta imperturbabilidad, como ese en el que se cuenta que a un novicio que hacía de cocinero en el convento y que había roto el puchero echando a perder el arroz que estaba cocinando, Juan le dijo que no se apenara: «Reparta lo demás que hay que comer, que no quiere nuestro Señor que comamos hoy arroz». O como en el caso del gato que se comió la perdiz destinada a Juan, que no se encontraba bien, y le dijo al desconsolado cocinero «que no se apurase por cosa tan chica». Es el distanciamiento respecto de las cosas menudas, la capacidad de no dramatizar los accidentes de la vida diaria, propia de las personalidades equilibradas y creadoras, de quien está pendiente de la Verdad y de la Belleza.

Entre las cosas a soportar sin turbarse debía estar más que nada la necesidad de aguantar a las personas molestas, como aquel padre Antonio de Jesús, fraile calzado y prior del convento de Medina, que se había autoproclamado el primer descalzo, personaje influyente y omnipresente a quien Teresa no pudo o no supo decir que no. Ese padre Antonio de Jesús —«hombre culto», o sea, el tipo de profesional de las letras que Juan debía haber aprendido a aborrecer en Salamanca— que se instaló desde el principio en la vida de Juan como carmelita descalzo. Fue compañero suyo en Duruelo, y nunca sabremos lo que debió costarle a Juan convivir noche y día y cara a cara con una persona tan distinta de él. Nos da un indicio para comprender qué tormento debió ser eso el hecho de que Juan, en su lecho de muerte, le pidió en vano al padre Antonio de Jesús, que había acudido apresuradamente, que, por favor, no le hablara una vez más de los tiempos de Duruelo...

Y sin embargo Juan de la Cruz tuvo una pasión, y la dejó entrever: la pasión por la soledad. La necesidad de estar físicamente solo y físicamente en silencio. En él esa pasión por la soledad «no era como una laceración, sino como una herida que cicatriza, la clausura fecunda donde poder reencontrarse, un lugar de recogimiento» del que, con notable coincidencia en los términos, hablaba Glenn Gould. Era el «estar consigo mismo» que Benito de Nursia buscó en Subiaco. Era esa búsqueda de un lugar apartado, «como el más remoto desierto», que inició Descartes en pleno Amsterdam. La soledad, en suma, era en él la cuerda tendida entre el sufrimiento psicológico y la creatividad.

Un testigo que había vivido largamente junto a Juan cuenta que «el santo» tenía que hacer siempre un esfuerzo para atender a las cosas exteriores; y habla de los tiempos de Segovia, esto es, de la época de un Juan más maduro, pero también de los tiempos de mayores compromisos mundanos, incluidas las visitas al salón de Ana del Mercado y Peñalosa. Por eso «cerrando la mano a lo disimulado, cuando paseaba con alguna persona daba golpes con el puño en la pared o en la parte que se hallaba, para con el dolor atender a la plática; y así traía los artejos de las manos descalabrados de este ejercicio, como este testigo le advirtió algunas veces». He aquí un detalle que no se puede inventar, ni siquiera en un proceso de beatificación. «Me aburre conversar —decía Kafka—, me aburre ir de visita; me aburren hasta el fondo del alma las penas y las alegrías de mis parientes. La conversación le quita a todo lo que pienso su importancia, su seriedad, su verdad.»

Otros testigos cuentan que mientras paseaban con él a menudo Juan se quedaba sumido en meditación profunda; de improviso se quedaba ausente: tenemos aquí la necesidad, y a la vez la capacidad, de sumergirse en una dimensión interior y completamente mental.

Otros testimonios insisten en decir que para él aquel quedar inmerso suyo en otra cosa era «una continua mortificación en la que pasó muchos años sin poder liberarse de este tormento». Y que «siguió sucediéndole durante días enteros que su atención se viera tan cautiva que no estaba en condición de tratar con la gente, más parecía que viviera en la región del tiempo como si se hubiera trasladado a la eternidad». Nos hallamos en suma, también para Juan de la Cruz, en la divisoria entre sufrimiento psicológico y creatividad, esa línea sutil en la que encontramos a Samuel Beckett y a Franz Kafka. El Kafka de quien se pudo escribir que a veces rompía el hilo de su discurso «porque tenía todo el aire de quien sigue desde hace rato los razonamientos de un tercer huésped inadvertido». O, como escribió Juan en *Noche oscura* (I, 2, 6): «tanto les solicita, ocupa y embebe este cuidado de amor, que nunca advierten en si los demás hacen o no hacen». Y, realmente, no sorprende saber que, con ocasión de las reuniones del capítulo general de los descalzos, pese a formar él parte de los órganos de gobierno, no se quedaba nunca con los demás dirigentes y prefería sentarse por su cuenta. Lo cual, no hay ni que decirlo, hacía murmurar que no era persona adecuada para las tareas de gobierno.

Otro testigo cuenta que había que repetirle las cosas más de una vez porque no entendía, pero que si le preguntaban si por caso era sordo, Juan respondía: «Calla, que no estoy sordo, sino en otras cosas que no entiendo».

Tampoco faltan testimonios acerca de los indicios de la antipatía que podía suscitar una personalidad así. Una testigo cuenta por ejemplo que siempre estaba tan sumido en el silencio que los calzados le llamaban «lima sorda» y «agua mansa»; sabido es que el silencio puede ser una forma de afirmación fuerte, en el límite de la altanería, o que puede ser interpretado como tal. En sus relaciones con los cofrades también debió tener algo que ver la «diferencia» de origen: él sabía cosas, el mundo de los pobres, que la mayoría de los demás ignoraba. Seguramente siempre siguió mirando el mundo desde abajo.

Incluso en las relaciones con Teresa —y con Gracián— tuvo que pesar el distinto origen social indescifrablemente entremezclado con diferencias de temperamento. Hay indicios de que Teresa encontraba a Juan irritante o hasta molesto. Hasta el último encuentro de 1581 gravita entre los dos esta sombra de antipatía e impaciencia por parte de Teresa respecto a Juan, junto a una enorme estima por las cualidades intelectuales y morales de su primer descalzo. Y no debieron ser pocas las razones de disensión, incontrolables por estar ligadas, justamente, a diferencias de carácter, entre la triunfante y activa personalidad de ella y la personalidad completamente entregada al vacío y a la pasividad de él; y más clara tuvo que ser —hasta llegar a la descortesía y a la incomprensión, que no se dieron nunca, en cambio, en el caso de Teresa— la extrañeza y la indiferencia hacia Juan por parte del florido y radiante Gracián. Una oposición, esa que hubo entre los dos grandes protagonistas masculinos del Carmelo descalzo, que parece repetir la oposición entre introvertido y extrovertido, entre dedicación a la vida y concentración en el espíritu, entre el oscuro y magro Narciso y el rubio Bocadeoro, sobre la que Hermann Hesse ha construido felizmente su novela.

Pero Juan de la Cruz elaboró su pasión por la soledad, el sufrimiento que le imponía la imposibilidad de estar solo, como veremos, en un sistema espiritual complejo y extremadamente abierto; y le dio al tema la forma de la «escritura», lo enunció en una Voz que lo objetivaba y lo volvía común a la vez. He aquí cómo habla de él en uno de los libros que escribió en la fecunda fase de Granada, en *Noche oscura* (I, 9, 6), su libro más original y denso. Juan habla de la oscura y árida contemplación de la primera noche, esa en la que uno se separa del pensamiento discursivo, «de las consideraciones y de los razonamientos»:

> [...] ordinariamente [...] da al alma inclinación y gana de estarse a solas y en quietud, sin poder pensar en cosa particular ni tener gana de pensarla: y entonces, si a los que esto acaece y se supiesen quietar, descuidando de cualquier obra interior y exterior sin solicitud de hacer allí nada, luego en aquel descuido y ocio sentirían delicadamente aquella refección interior; la cual es tan delicada, que ordinariamente, si

> tiene gana o cuidado en sentirla, no la siente, porque, como digo, ella obra en el mayor ocio y descuido del alma; que es como el aire, que, en queriendo cerrar el puño, se sale.

La soledad profunda como base para algo más: para la capacidad de entrar en la «pasividad», en la receptividad pura. Unos estados extremos que, en la historia de Juan, condujeron a episodios como los que cuentan testimonios de Baeza: un Juan que interrumpe el rito de la misa «habiendo consumado el pan y el vino» y entra en la sacristía para quitarse las vestiduras. Y sólo cuando una de las mujeres asistentes le tira de la casulla y le dice en voz baja: «¿Quién ha de acabar esta misa?», Juan, vuelto en sí, regresa al altar y concluye el ritual.

Los escritos revelan, sobre todo a través del juego de las semejanzas, que en aquella «soledad» y aquel «silencio» de Juan fermentaba una soprendente capacidad imaginativa. En un pasaje de *Subida del Monte Carmelo* (III, 36, 5) Juan de la Cruz nos ha dejado la descripción del proceso del enamoramiento:

> [...] así como a uno contentará más un rostro de una persona que de otra, y se aficionará más a ella naturalmente, y la traerá más presente en su imaginación, aunque no sea tan hermosa como las otras, porque se inclina su natural a aquella manera de forma y figura.

De la misma manera, a esa soledad y a ese silencio les llegan con fuerza los estímulos derivados de la observación de la realidad exterior. Como en esos capítulos 18 y 19 del Libro III de *Subida del Monte Carmelo* en los que Juan desarrolla una crítica de la riqueza. La cual crítica es, ciertamente, una enésima variación sobre el tema del *auri sacra fames*, pero que adquiere en esas páginas una intensidad casi alucinatoria, como cuando Juan, al hablar del cuarto grado del daño que le produce al alma el poner el objeto del propio deseo en las cosas temporales, pasa a describir los efectos destructivos de esa pasión, y traza —él, que al igual que Teresa debió asistir a los efectos funestos para muchos de la manía de enriquecerse desencadenada por la sangrienta empresa americana— un retrato trágico de la pasión por el dinero:

> [...] aquellos miserables que estando tan enamorados de los bienes los tienen tan por su dios, que no dudan de sacrificarle sus vidas cuando ven que este su dios recibe alguna mengua temporal, desesperándose y dándose ellos la muerte, mostrando ellos mismos por sus manos el desdichado galardón que de tal dios se consigue [...] Y a los que no persigue hasta este último daño de muerte, los hace morir viviendo en penas de solicitud y otras muchas miserias, no dejando entrar alegría en su corazón.

La alegría: debía haberla conocido, a pesar de la pobreza, en casa de Catalina, y tal vez por esto, por la alegría, mandó llamar a Duruelo, su primer monasterio como descalzo, a esa familia de marginales suya. Un caso único en la historia de la vida monástica.

Sin embargo aquella soledad profunda era el fundamento necesario para la creación de ese «espacio interior» que es uno de los descubrimientos de la mística moderna. Soledad distinta, la de Juan de la Cruz, de la «vida retirada» soñada y teorizada por los humanistas de Petrarca en adelante. Y una soledad que, ciertamente, era en él la raíz de esa actitud que se define con el término de «humildad». Un término de uso inflacionado en el caso de Juan, al igual que lo está el término «obediencia» en el caso de Teresa —y no por azar, pues se trata de una mujer—. Términos que cabe asumir siempre que se los reconduzca con rigor a su sentido: se es «humilde» ante Dios, ante la voz que le habla al alma en la soledad, de la misma manera que Teresa obedecía a esa voz cuando escribía. Una «humildad» que, ciertamente, se expresaba en Juan con auténtico y profundo aburrimiento al oírse alabar o, peor aún, cuando le presentaban como alguien «importante» por los cargos que le había confiado la orden. Un error en que llegó a incurrir una vez la madre Ana de Jesús —a quien no le eran extrañas las preocupaciones de orden social o mundano—, cuando en el locutorio de Granada, donde ella fue la primera priora del convento que fundaron juntos allí, se puso a ensalzar ante los extraños presentes en el locutorio los cargos de Juan en tal o cual convento. Y Juan, con sentido del humor nada raro en él, iba precisando: «Allí mismo fui cocinero», etcétera.

En realidad, en aquella pasión y aquella práctica suyas de la soledad y del silencio había una apremiante dimensión moderna que iba más allá no sólo de la propuesta claustral sino también de la comprensión de la mayoría de las personas que tenía a su alrededor; y, sobre todo, más allá de la visión de quienes, en los años que siguieron a su muerte, trabajaron en la construcción de su imagen como «santo».

En realidad en esa pasión por la soledad estaba el núcleo vital de una extraordinaria pasión por la belleza, el vestíbulo irrenunciable de la experiencia artística, la condición para la escritura, alcanzada gracias a la concentración en el pensamiento de lo Absoluto que hacen posible la soledad y el silencio. Una concentración que hay que conservar a toda costa, pues de otro modo ocurre en el alma —como ha escrito Juan en *Subida* (I, 10, 1)— lo que les sucede a las especies aromáticas, las cuales «desenvueltas van perdiendo la fragancia y fuerza de su olor».

Al tema de la soledad —tema canónico en la poesía amorosa de Petrarca en adelante, pero recreado por Juan de modo original precisamente por estar vinculado explícitamente a la experiencia mística, al conocimiento experimental de lo infinito— le está dedicada una estrofa de *Cántico espiritual*, la estrofa 34 del *Cántico A*, en la que la voz poética habla de la «blanca palomica», una de las numerosas aves simbólicas de la poesía de Juan:

> En soledad vivía
> y en soledad ha puesto ya su nido
> y en soledad la guía
> a solas su querido
> también en soledad de amor herido.

Y la soledad entra también en la serie de felicísimos oxímoros de la estrofa 14 (siempre del *Cántico A*) tantas veces citada:

> la noche sosegada
> en par de los levantes de la aurora
> la música callada
> la soledad sonora
> [etc.]

donde «sonora» se une en sentido paradójico a «soledad», como «callada» a «música» —en la posición propia de la figura que «pone en contacto palabras de opuesto sentido que el contexto hace compatibles».

La soledad creadora, en suma, produce canto, y el silencio música.

Juan tuvo que mantener, no obstante, en ese estar suyo en soledad, una gran intensidad de emoción. Y si de él se recuerda que una vez le dijo a un cofrade que le invitaba a contemplar la belleza de Córdoba: «No estamos aquí para ver, sino para no ver», esto no significa en modo alguno que fuera indiferente a la belleza artística, pues pocos como él en su tiempo mostraron ser sensibles a las artes visuales y estar atentos a ellas, sino que era únicamente, por el contrario, indicio de una extrema concentración de la sensibilidad y del goce interiorizados. Una concentración que hacía imposible la «distracción» del ver por ver.

En cambio apreció siempre, como todos los grandes contemplativos, el estar inmerso en la naturaleza. De viaje, pedía que se detuvieran en los parajes más bellos, bajaba de la mula y se adentraba en el bosque, en lo que en *Cántico espiritual* llamará, con expresión espléndida, «la espesura». En Baeza el convento había comprado un poco de tierra que trabajaban algunos monjes viviendo en la pequeña finca aneja. Juan se acercaba a menudo hasta allí —único consuelo en aquel lugar donde, como veremos, por razones que en parte se nos escapan, sufrió muchísimo— y pasaba las noches al raso acompañado de un cofrade muerto de sueño que en vano le suplicaba —«le hará mal el sereno», decía— que regresaran. Y en La Peñuela, otra colonia agrícola de la orden a la que le mandaron en 1591, tras haberle excluido de todos los órganos de dirección, los testigos cuentan que Juan se acercaba antes del alba a un pequeño estanque próximo; y que allí le encontraban, arrodillado entre los juncos.

Fue esa extrema capacidad de concentración suya la que le dio una clarividencia extraordinaria respecto de situaciones y personas. De esa concentración extraordinaria nació ciertamente su capacidad para identificarse con otras personas, hasta ser capaz de adivinar, como cuenta un curioso testimonio, lo que se habían dicho dos frailes quebrantando la norma del silencio. Un don que nosotros podemos ver como la inteligencia auténtica de quien no se deja engañar por simulaciones ni guiar por convicciones abstractas. De modo que en no pocos casos fue bastante lúcido para juzgar a personas y cosas: como cuando, en vísperas del capítulo de 1591, previó que le «arrojarían a un rincón como un trapo».

La capacidad de dolor y de sufrimiento de Juan está profundamente atestiguada por sus dificultades emotivas durante su estancia en Baeza, de 1579 a 1582.

No nos interesa investigar aquí acerca de las posibles razones objetivas de este padecimiento. Baeza era un lugar «difícil», con la universidad fundada por aquel gran organizador disidente que fue Juan de Ávila y por sus discípulos, con quienes estuvo en contacto Juan, acosados todos por una serie de procesos inquisitoriales; un ambiente caracterizado por la presencia de un inquieto laicado masculino y femenino y por grupos de *beatas* objeto también éstas de mucha sospecha y vigilancia por parte de la Inquisición.

En cualquier caso su sufrimiento fue tan profundo que Juan incluso llegó a solicitarle a Teresa que le pidiera al joven y brillante Gracián, en aquel momento provincial de los descalzos, que le trasladara a Castilla y no le confirmara en su cargo. E incluso llegó a escribir —lo cuenta Teresa en una carta a Gracián— que «harto está de padecer». (Pero Gracián hizo oídos de mercader —tal vez quería mantenerle alejado de Teresa— y le confirmó en su cargo de rector del colegio universitario de los descalzos en la universidad local.)

Allí, en Baeza —donde por razones que, como hemos dicho, se nos escapan (pero ¿por qué no tener en cuenta también la muerte de su madre, Catalina, a la que se llevó por delante la epidemia del «catarro»?)—, Juan experimentó acaso más que en su encarcelamiento en Toledo de 1577-1578 el abandono, el «desamparo». Es la palabra que emplea en una carta extraordinaria, claramente adjunta a una carta a Teresa fechada el 6 de julio de 1581, cronológicamente la primera de las escasas cartas que nos han quedado, «Para la hermana Catalina de Jesús, carmelita descalza, donde estuviere»:

> Aunque no sé dónde está, la quiero escribir estos renglones, confiando se los enviará a nuestra Madre, si no anda con ella; y, si es así, que no anda, consuélese conmigo, que más desterrado estoy yo y solo por acá; que después que me tragó aquella ballena y me vomitó en este extraño puerto nunca más merecí verla, ni a los santos de por allá. Dios lo hizo bien, pues, en fin, es lima el desamparo, y para gran luz el padecer tinieblas.

Pero Juan siempre fue capaz de transformar incluso el abandono en creatividad, y siempre siguió necesitando de la soledad tal como la concibió Emily Dickinson —«Estaría más sola sin mi soledad»— para transformarla en «soledad sonora», para transformarse en «pájaro solitario» —un símbolo que ya le fue caro al Petrarca y que lo sería a Leopardi—, con sus cinco características:

> La primera, que se va a lo más alto; la segunda, que no sufre compañía; la tercera, que pone el pico al aire; la cuarta, que no tiene determinado color; la quinta, que canta suavemente.

APOSTILLA III

Más que los ensayos filosóficos a los que se alude en la presentación, ensayos que en cualquier caso muestran una fuerte recuperación laica de esta categoría clásica de la espiritualidad, para reconstruir el nexo entre silencio y creatividad, entre opciones éticas y opciones estéticas, ha sido útil la comparación con la experiencia de dos artistas contemporáneos, Samuel Beckett y Glenn Gould, tal como permiten reconstruirla el ensayo del propio Beckett sobre Proust (*Proust*, Península, Barcelona, 1989), leído con el apoyo de Deirdre Bair, *Samuel Beckett. Una biografia* (Garzanti, Milán, 1990) y el libro del psicoanalista y musicólogo francés Michel Schneider, *Glenn Gould. Piano solo* (Versal, Barcelona, 1989).

IV

EL CARMELO, «FUNDAMENTO SILENCIOSO DE MUCHOS LENGUAJES»

Convento teresiano.
Reproducido de *Avanti con Dio*, Edizioni Paoline, 1982.

El primer lenguaje del que debió gozar intensamente Juan de la Cruz en el Carmelo descalzo proyectado por Teresa de Jesús tuvo que ser el espacial: el lenguaje del morar; el lenguaje de la casa.

Cuando estaba pensando en encerrarse en la gran Cartuja de El Paular —altas bóvedas y macizos sillares, con la exhibición de la fuerza fundamental de la piedra destinada a desafiar el tiempo— Teresa le propuso, en cambio, una casa como la de San José de Ávila: una casa pequeña, levantada por un simple albañil, de paredes encaladas, con oscuras vigas de madera en el bajo techo y con suelo de ladrillos. Casas pobres y precarias, donde lo dominante era el lenguaje de la sombra, la estética de las cosas pequeñas y sobrias. Y, en su centro, la humilde disponibilidad de la madera para dejarse cepillar, pulir y entallar: una disponibilidad cuyo arte Juan conocía bien —bueno es recordarlo— por haberla experimentado con sus manos. «No haya cosa curiosa, sino tosca la madera», se lee en las *Constituciones* teresianas.

Los espacios de la Cartuja eran mayestáticos por definición: destinados a afirmar también, con gigantescas cruces de piedra, en medio de grandes extensiones deshabitadas y en el centro de unas tierras que eran propiedad del monasterio, la perduración de la tradición monástica y, a través de ella, la perduración de la Iglesia por los siglos de los siglos. Los monasterios que Teresa le proponía a Juan eran en cambio auténticos *enclaves* insertos en el tejido urbano de las ciudades castellanas —el de Medina, que Teresa estaba fundando cuando se encontraron, era un primer ejemplo de ello—; un espacio cerrado sobre su proyecto espiritual y confiado para su supervivencia, en el caso de las monjas, al trabajo manual de quienes se encerraban en él; una casa destinada a hablar, en directa comunicación, con el Eterno. Y ningún signo particular hacia afuera salvo, cuando la había, una espadaña pequeña, un simple muro donde instalar la pequeña campana destinada a avisar a los vecinos que allí había un espacio dedicado al culto.

La casa que le ofrecía Teresa era en suma una casa de pobres, una casa parecida a la de Catalina; una casa que al mismo tiempo era para Juan la realización de su sueño de concentración y de silencio. Una casa donde podía expresarse su elegancia de creador: esa elegancia hecha de nadas, de pequeños detalles que, sin embargo, son el fruto de haber puesto en ellos una atención intensa.

Para Teresa —como he señalado—, aquella casa de San José de Ávila representaba la fuga definitiva de la lúgubre casa paterna: una gran casa de piedra, llena de arcas y arcones, de alfombras y cortinajes, de tapices y almohadones, con la armadura del padre claramente expuesta. Para Juan, en cambio, la casa que se le proponía significaba volver a su pequeña casa de pobre «sin calidad».

El proyecto de entrar en la Cartuja era, en una palabra, un proyecto de fuga, un proyecto ético y estético cuyas consecuencias, naturalmente, ni podemos imaginar en el caso de Juan, pero en cuyo centro estaba ciertamente la voluntad de soledad, la voluntad de permanecer en el estado de gracia de la contemplación. Tal vez hubiera podido significar para Juan de Santo Matía —pero se trata sólo de una hipótesis— la posibilidad de desarrollar su afición por el dibujo, en un espacio cultural como el benedictino, tan rico en tradiciones artísticas. Pero significaba ciertamente distanciarse del mundo de los afectos, unos afectos que sólo se podrían reencontrar en la infinita e indefinible mediación de Dios. En la Cartuja nunca hubiera sido posible lo que Juan pudo hacer, como hemos visto, en su primera experiencia de carmelita descalzo: llamar a su familia —su madre, su hermano y su cuñada— a vivir con él en un cenobio singular.

Desde el momento en que aceptó la proposición de Teresa, Juan pasó a pertenecer a ese otro espacio distinto, a un proyecto utópico aún no muy claro y definido, pero que hacía presagiar —en contraste con la inmovilidad del cartujo— muchos desplazamientos y viajes en una orden religiosa como la de los carmelitas descalzos en la que todo estaba por hacer. Una situación en la que era evidente que no podría sustraerse a la gravosa y molesta tarea de fundar nuevos conventos aquí y allá. (¡Se ha calculado que en su vida de fraile y de dirigente recorrió —a pie o a lomo de mula, pero nunca a caballo que era cosa de ricos— unos 27.000 kilómetros!)

Quiso el azar —encarnado en la persona de un benefactor que ofreció una casa rústica para el primer convento de los descalzos— que la primera casa de Juan de la Cruz como carmelita descalzo fuera una casucha perdida en el campo: un portal que Teresa juzgó que se podía transformar en capilla, «una cámara doblada con su desván» que podía servir para «coro» de los monjes y una cocinilla. Tan perdido estaba aquel sitio que Teresa se perdió cuando fue a inspeccionarlo por primera vez; y estaba tan inmerso en la vida campesina que Teresa, que hubo de pernoctar allí en aquella primera inspección, experimentó una insuperable repugnancia por el olor de aquellos braceros, «la gente del agosto», los pobres jornaleros idiotizados de comer demasiada hierba y pan de centeno, que iban de una casa de labranza a otra para la cosecha estival de grano.

Pero Juan mostró saber adaptar perfectamente sus capacidades de percepción y de creación al nuevo ambiente y recrear una experiencia importante incluso en el plano de lo visual. Hasta debió disfrutar, allá en Duruelo, de esa congruencia perfecta entre la función y la forma que uno de los padres de la arquitectura moderna, Adolf Loos, reconocía en las casas campesinas más humildes y negaba a la más genial de las «villas». Pues Juan se dedicó a dejar su impronta en aquella casa; a poner en ella el signo de su capacidad de transformar la soledad en creatividad. Cuando Teresa regresó, esta vez en visita de inspección a sus primeros descalzos, quedó agradablemente sorprendida al ver la pequeñísima casa —el desván que servía de coro era tan bajo que los frailes debían entrar inclinados— adornada con calaveras y cruces: la calavera, símbolo de nuestro regreso a la nada y consiguientemente del destino natural por el que nos parecemos a los demás animales; y la cruz, historia pura, símbolo extremo de contradicción y de escándalo en la historia de los hombres. Las cruces estaban talladas con extrema y total sencillez. «Nunca se me olvida una cruz pequeña de palo que tenía para el agua bendita, que tenía en ella pegada una imagen de papel con un Cristo que parecía que ponía más devoción que si fuera de cosa muy bien labrada.» Emoción estética y emoción religiosa, rechazo del gusto barroco en favor de la sencillez calculada y plena creada por Juan, ese «medio fraile» suyo —así le había definido en una carta de 1568, inmediatamente después de conocerle, por aquel metro y medio de talla que venía de antiguas carencias alimentarias—, «que aunque es chico, entiendo es grande en los ojos de Dios».

Para Juan debió ser un espacio libre, desnudo de todas las imágenes sagradas que atestaban los conventos y de las decoraciones de estuco como las que recubrían enteramente las paredes de la iglesia de la Magdalena en Medina, por ejemplo. Significó, en suma, fundar; experimentar una nueva estética y no sólo una nueva ética. Es lo que se ha llamado la «estancia carmelitana»: un espacio cultural que hay que aproximar y comparar a la búsqueda de desnudez cisterciense que persiguió Bernardo de Claraval, o a esa otra «desnudez» que practicó y tradujo en proyectos de vivienda Ludwig Wittgenstein. «Un espacio vacío habitado por la luz que allí penetra sin librar ningún combate con la sombra, sino que la desposa en umbría, en silencio.»

Pero el carmelo descalzo ideado por Teresa le ofrecía a Juan sobre todo un lenguaje para la vida contemplativa que excluía radicalmente la vieja vía eremítico-penitencial. Éste es un punto en el que Teresa y Juan estuvieron de acuerdo desde el principio y sobre el que siempre siguieron de acuerdo, pese a las diferencias y las sombras que luego entraron en su relación.

Significaba no solamente repetir la decisión que siglos antes había tomado Benito de Nursia, o sea, la opción por casas comunitarias, regulada por normas de convivencia precisas, en vez de la práctica anárquica de la vida eremítica en cuevas (una práctica que se resistía a morir, ya que volvió a presentarse entre los descalzos del segundo convento masculino que se había fundado en Pastrana). Pero significó también y sobre todo el rechazo de un lenguaje de la vida religiosa confiado a lo físico: penitencias atroces, personas que dormían sobre garbanzos o casi atadas, historias de tazones de pus tragados y de azotes hasta sangrar. Un repertorio sadomasoquista que ya entonces se representaba en el lúcido análisis de Teresa y de Juan como ligado a pulsiones oscuras; tan oscuras que se convertían en obstáculo para que se formara en el alma la conversación con Dios.

Juan de la Cruz ha sido muy claro sobre este punto. En *Subida del Monte Carmelo* (I, 8, 4): «Algunos se cargan de extraordinarias penitencias y [...] no procuran negar sus apetitos». En *Noche oscura* (I, 6, 1, 2), donde habla de la «gula espiritual»:

> Atraídos del gusto que allí hallan, algunos se matan a penitencias [...] y aun algunos se atreven a hacerlo aunque les hayan mandado lo contrario [...] Éstos son imperfectísimos, gente sin razón, que posponen la sujeción y obediencia —que es penitencia de razón y discreción [...]— a la penitencia corporal, que, dejada estotra aparte, no es más que penitencia de bestias.

Era la Edad Media, el modelo penitencial antiguo, que volvía como una regresión a embrollar ese nuevo modelo suyo basado enteramente en la interioridad. Era, como ocurre a menudo en los asuntos humanos, lo viejo que vuelve para tratar de dificultar lo nuevo.

Teresa envió a Juan a Pastrana, convencida de que lograría explicar a los frailes que aquél era un camino viejo y fácil, hecho de ostentación de penitencias bastante fáciles de percibir, y, consiguientemente, vía fácil para competiciones deletéreas y exteriores entre «penitentes» con total menoscabo de la vía profunda de la negación del yo, acorazado y presuntuoso. Es decir —como había descubierto Buda tras su período de feroz ascetismo—, que «es inútil lacerarse el cuerpo cuando las cosas no están en orden en nuestro interior».

En su historia de carmelita descalzo Juan de la Cruz volvió a encontrarse repetidamente ante este modelo. También en el pequeñísimo convento del Calvario —una casa de labranza, un huerto, una parcela de sembradío y una viña minúscula— adonde fue enviado en 1578. También allí tuvo que explicar que donde se construye el hombre nuevo es dentro de nosotros, a través de la crítica de lo que es exterior y repetitivo. Pero allí la dulzura de la naturaleza le ayudaba, y él se llevaba a los frailes a disfrutar de ella. Y más tarde en Granada, donde fue prior, se llevaba a los monjes a almorzar en los prados, por las laderas de la Sierra Nevada, «y el prior contaba historias y les hacía reír a todos, y volvían muy contentos a la casa».

Tanto Teresa como él sabían muy bien, con preciso sentido histórico, que la vida de los padres del desierto, o de los primitivos eremitas del Carmelo, era «de admirar pero no de imitar»; y así se lo iba explicando Juan a los cofrades.

El Carmelo descalzo teresiano estaba por el contrario fundamentado en la oración, en alimentar y escuchar el diálogo con Dios, en un libre fluir de lenguajes que no podían menos que ser múltiples —tan numerosos como las personas— precisamente porque se confiaban al libre flujo del lenguaje interior en el secreto, hecho enteramente de historia personal, que cada uno lleva dentro de sí. La potenciación de la dimensión interior significaba, en suma, una potenciación enorme de la atención al lenguaje: esa atención al lenguaje gracias a la cual los dos grandes contemplativos y escritores carmelitas han mostrado ser fundamentales para quien, como por ejemplo Michel de Certeau, de quien se ha tomado la expresión entrecomillada que titula este capítulo, pretende descubrir las raíces espirituales y religiosas de la modernidad, el esfuerzo —en los umbrales de la «muerte de Dios»— por decir la Ausencia.

El otro lenguaje que debió practicar Juan de Yepes al ingresar en el Carmelo descalzo y asumir luego tareas de gobierno fue el económico: bien cuando tuvo que pensar en los problemas de la supervivencia de los conventos, a partir del ínfimo y paupérrimo de Duruelo, bien cuando hubo de despachar por cuenta de la orden transacciones económicas complejas, que alcanzaron cifras realmente vertiginosas para el pobre que era él. En verdad, hay que tener una visión muy beata de su personalidad, y una imagen bastante mezquina y reductiva de la vida contemplativa, para asombrarse, como hace más de uno, de que Juan supiera desempeñarse brillantemente en estas situaciones. Cuando justamente, en cambio, de la actitud contemplativa respecto de sí mismo y de la existencia puede nacer una percepción aguda de los hechos y de las pasiones humanas.

Las necesidades elementales de una orden que, al menos en su primera fase, carecía de una fuerte proyección externa en forma de apostolado por medio de la predicación o de algún otro compromiso social le pusieron además, en más de una ocasión, en la necesidad de «pedir».

Siempre estuvo dispuesto a mendigar, pero aquella no era, como se ha dicho, la línea y la tradición de la orden; simplemente, en momentos de estrechez, había que «pedir». Tenemos un testimonio confuso que nos habla de que Juan rechaza la recompensa por haber predicado a alguna pobre gente de Duruelo. Pero tenemos bastantes testimonios acerca de su renuencia a pedir y, sobre todo, a «hacer visitas» para luego obtener ayuda de los ricos y poderosos; acerca de su tendencia a apostar, propia de tantos contemplativos, por que sean los otros, los que tienen para comer en demasía, quienes espontáneamente se decidan a dar a quien vive inmerso en una búsqueda interior y espiritual. Una búsqueda que nunca se hace sólo para uno mismo.

Los testimonios sobre este punto son muchos. Y en este sentido resulta significativo un episodio de los años andaluces.

Un día, en Granada, tras una visita del vicario provincial, Juan le dijo a un cofrade: «Tome vuestra reverencia la capa, que dicen es fuerza visitemos». Fueron pues a casa de algunos peces gordos y Juan hizo votos por ellos con gran sagacidad, «que parece le daba Dios gracia y *sal para todo*; y disculpándose con el presidente de no hacerle visita a menudo, y que no era por falta de memoria en cumplir la obligación de no encomendarle a nuestro Señor, sino por cumplir con la obligación del recogimiento religioso, respondió el presidente agradeciendo aquel cuidado, y dijo más: "Para con nosotros cumplido tienen vuestras paternidades cumpliendo, como cumplen, con nuestro Señor y sus obligaciones; demás de las muchas obligaciones que por acá tenemos, pues apenas tenemos tiempo para descansar". Dando a entender que no se caía en falta. Nos volvimos derechos al convento, y no me acuerdo le vi hacer otra visita de cumplimiento», concluye el testigo.

A Juan le molestaba pedir a los ricos y a los poderosos ciertamente no por resistirse a mendigar, sino por algo más profundo: por la resistencia a exponerse, por el enorme pudor que siempre le caracterizó; por la necesidad ética de exigir que fuesen ellos, los ricos y los poderosos, quienes tuvieran en cuenta las necesidades de un convento pobre y escucharan la voz interior empujándoles a hacer un gesto espontáneo. Y Juan ganó a menudo la partida, porque, justo cuando había llevado a la comunidad al borde del hambre, llegaban dineros o alimentos enviados precisamente por el rico o el poderoso a quien se había negado, pese a las presiones de los demás frailes, a pedir ayuda. Una vez, cuando era prior en el minúsculo convento del Calvario, donde a menudo sólo flotaban en la sopa dos garbanzos y un hilo de aceite, un día en que realmente no había para comer más que un trozo de pan que dividir entre todos los hermanos, en determinado momento llegó una carta que anunciaba el envío por parte de algunos amigos de alimentos de toda clase. A Juan «se le comenzaron a caer las lágrimas de los ojos».

El otro lenguaje practicado intensamente en el Carmelo descalzo, como integración del lenguaje cotidiano de la liturgia, era el de las fiestas, acompañadas como iban de canciones y representaciones teatrales y de composiciones florales que Juan preparaba con gusto y pasión. En los testimonios abundan las descripciones de las celebraciones navideñas, con pesebres vivientes y cánticos, que Juan organizó y presenció.

En una de esas representaciones, en Granada, con los religiosos yendo de un lado a otro del claustro llevando a hombros la estatua de la Virgen y reproduciendo la historia narrada por los Evangelios de María que busca lugar para dormir, con otros religiosos que contestaban negando desde dentro del convento, se recitó la letrilla de Juan de la que nos queda una estrofa:

> Del Verbo divino
> la Virgen preñada,
> viene de camino,
> ¡si le dáis posada!

En una circunstancia parecida debió nacer el estupendo romance que empieza con la estrofa:

> Ya que era llegado el tiempo
> en que nacer había,
> así como desposado
> de su tálamo salía.

Textos poéticos, ligados a momentos litúrgicos que pueden dar la medida del modo «natural» e intenso en que afrontó Juan el problema del rito.

En este contexto se sitúa el testimonio que da cuenta de un Juan de la Cruz que, en una fiesta de Navidad, en un rapto de entusiasmo, tomó al Niño Jesús en brazos y se puso a bailar con gran arte y fervor. En el «fervor» podía entrar el recuerdo de la danza de David; pero en el «arte» pudo entrar el recuerdo de las danzas del ambiente islamizado de su infancia, aquellas danzas que perseguía la Inquisición como residuo de una cultura que se pretendía destruir.

Sin embargo el lenguaje que ante todo el Carmelo ofrecía y le solicitaba a Juan —más allá del sentido colectivo y ritual del *Psalle et sile*— era el lenguaje del «decir» la vida interior, ese impulso que en él y en Teresa hizo nacer la gran tradición mística que encarrilaron ellos; esa tradición en la que, como ha escrito Michel de Certeau, «los místicos exploran todos los modos posibles (teóricos y prácticos) de la comunicación» como cuestión «que puede separarse formalmente del ordenamiento jerárquico de los saberes y de la validez de los enunciados». Y también: «Al aislar una problemática en la que nosotros podemos reconocer hoy el tema de la enunciación, que entonces se traducía por el divorcio entre amor y conocimiento» —la oposición entre «ciencia» y «experiencia» en palabras de Juan—... «[...] abandonan el universo medieval. Pasan a la modernidad».

Por eso no nos han quedado «lugares sagrados» ni «santuarios» de los dos santos carmelitas: ni Duruelo se convirtió en un Subiaco ni el Calvario en una Porciúncula. Porque el mundo de Juan no está en ninguna parte. Como el lenguaje.

APOSTILLA IV

Para comprender el alcance y a la vez el sentido transgresor y creador del Carmelo descalzo en el marco de la crisis del saber religioso medieval y del nacimiento de una cultura «moderna», así como para captar los nexos entre procesos sociales y opciones religiosas en aquel final del siglo XVI, es fundamental el libro del jesuita francés Michel de Certeau, *La fable mystique* (Gallimard, París, 1982) [*La fábula mística*, Siruela, Madrid, 2006]. (La frase citada está en las pp. 42-43 y la expresión entrecomillada en el título del capítulo en la p. 193 de la edición italiana, *Fabula mistica. La spiritualità religiosa del XVI e XVII secolo* [il Mulino, Bolonia, 1987].)

Para el lector que quiera informarse acerca de otros detalles de la relación entre Juan y Teresa —por ejemplo, sobre las fundaciones de Valladolid, Alba de Tormes y Segovia, donde trabajaron hombro con hombro— me permito remitir a mi biografía teresiana, *Teresa d'Avila. Biografia di una scrittrice*, de la que ha aparecido ahora una nueva edición, diez años después de la primera, en Editori Riuniti, 1993 (publicada en España primero por Icaria en 1984 y luego por Círculo de Lectores en 1993). Con la advertencia, no obstante, de que esa biografía está escrita, como se dice en *Algunas consideraciones iniciales*, «intentando situarme [...] en una zona de su mente» y tratando de describirla «hasta donde era posible, con sus mismas palabras». En el caso de

Teresa, lo que posibilitaba esta línea era el hecho de disponer de centenares de cartas. En el de Juan, a causa de su historia de clandestino y de resistente, las cartas quedan reducidas a unas pocas decenas. Faltan por tanto no sólo el punto de vista de Juan sobre las vicisitudes políticas de la orden —los *Dictámenes de espíritu* que aluden a ello son un texto de dudosa autenticidad—, sino también ese tipo de textos que, como la carta personal, dejan espacio para los estados de ánimo y permiten que se filtre en ellos la subjetividad. Y, en efecto, las pocas cartas que nos quedan de Juan nos abren importantes desgarrones para el período de Baeza y para los últimos meses de su vida. De ahí la necesidad de recurrir a la palabra ajena de los testimonios y a la palabra literaria de los textos en una reconstrucción que no podía dejar de situarse —como se ha hecho aquí— en el lugar constituido por una historia interior.

Las citas de Buda, tanto aquí como en otros lugares, proceden de Carlo Coccioli, *Budda e il suo glorioso mondo* (Rusconi, Milán, 1990).

Sobre lo que él llama «la estancia carmelitana» ha escrito cosas admirables José Jiménez Lozano en *Ávila* (Destino, Barcelona, 1988) y *Los ojos del icono* (Caja de Ahorros de Salamanca, 1988).

V

COLOQUIOS EN EL MONASTERIO DE LA ENCARNACIÓN

1

estas junto a ti que eres tu misma flaqueza. porque la virtud,
y fuerça del alma en los traba-
jos de paciencia crece y se con-
firma

El que solo se quiere estar sin
maestro arrimo de maestro y
guia. sera como el arbol que
esta. solo y sin dueño en el cã-
po que por mas fruta que tenga. los viadores se la cogerã
y no llegara a saçon

El arbol cultivado y guarda-
do. con el beneficio de su dueño da la fruta en el tiempo
que del se espera

El alma sola que tiene vir-
tudes como el carbon encendido
que esta solo antes se ya esfri-
ando que encendiendo —

El que a solas cae a solas se esta
caydo, y tiene en poco su alma -
pues

Página manuscrita de *Dichos de luz y amor* (54/4).

Los años que discurren entre 1572 y 1577, en que Juan dedicó todo su tiempo a trabajar como director espiritual del monasterio de las carmelitas calzadas de la Encarnación, fueron sin duda de acumulación y de preparación para la creatividad absoluta de los años inmediatamente siguientes.

Juan vivió allí, entre otras cosas, en una situación de soledad particular: de hecho vivía con un compañero en un pequeño pabellón situado apenas fuera del recinto del monasterio, o sea, libre de las servidumbres y de las tareas de la vida conventual. Debieron perfilarse y quizá definirse allí y entonces la originalidad de su pensamiento, la fuerza de su inventiva y la urgencia de la escritura. Por desgracia todos los papeles de ese período se han perdido: el propio Juan los destruyó en el momento de la detención con que se cerraron esos fecundos años de su vida, y otros papeles fueron secuestrados y destruidos por los calzados que le detuvieron en diciembre de 1577 como reo de rebelión, en tanto que descalzo, contra la orden del Carmelo calzado a la que pertenecía en el plano jurisdiccional. Un pretexto jurisdiccional tras el que se ocultaba la lucha entre una mayoría conservadora en crisis y una minoría reformadora que experimentaba un importante desarrollo.

Teresa, carmelita descalza, había sido enviada por los superiores de la orden a aquel convento de la Encarnación, donde había sido carmelita calzada durante veinte años, precisamente como la única priora capaz de afrontar con éxito la situación de aquel convento de calzadas, reducido al hambre y sacudido por un amargo descontento. Pero la acción de los dos grandes descalzos —y en particular la de Juan, que prosiguió incluso cuando Teresa fue enviada esta vez al convento descalzo de San José— suscitó el resentimiento de los grupos dirigentes de la orden.

Estos años de la vida de Juan se caracterizaron no sólo por ese incubarse de la escritura sino también por una intensa presencia femenina. En primer lugar estaba Teresa, pero además se había convertido en el director espiritual de casi ciento cincuenta monjas. Este grupo de monjas no se había formado como una agregación de opciones personales —como ocurría en los primeros conventos de las descalzas— sino, según venía sucediendo desde los comienzos del monaquismo femenino, por una serie de razones bastante distintas entre sí. Una serie de razones que no excluían la opción libre, pero entre las que estaba también la exclusión, por razones físicas o familiares, de la circulación de las mujeres para hacer y deshacer alianzas y carreras. Fue de todos modos, como no podía por menos de ocurrir, una relación marcada por la asimetría radical que, como se ha dicho, caracteriza la relación entre una mujer y un sacerdote: una relación a la que por definición le falta la reciprocidad, al estar construida en un plano sacral del que la mujer queda excluida, en la que la mujer funciona como lenguaje entre Eva y María. También para Juan los monjes son «hermanos» pero las monjas «hijas», en una relación caracterizada por tanto por la subordinación y la desigualdad.

Pero en este caso la relación presentaba una diferencia importante: en la medida en que Juan, en las opciones doctrinales y prácticas, se colocaba del lado de la «experiencia», esto es, del lado de la búsqueda de una relación interior, libre e inmediata, con Dios, se creaba entre esas monjas y él una complicidad substancial. En primer lugar porque con esa opción Juan renunciaba a —o, por decirlo más precisamente, dejaba de lado y criticaba— su «ciencia», su formación universitaria en latín, para situarse del lado de la tradición transmitida en lengua vulgar, vinculada también a ambientes extrauniversitarios: la tradición procedente de la *Devotio moderna* que en España se había desarrollado en los ambientes erasmistas y franciscanos, y que era una tradición en la que podían participar las mujeres. En esa relación Juan se presentaba como quien tiene «experiencia» y quiere vivirla y producirla en otros. Una relación en la que también él podía aprender y que, por consiguiente, en algunos aspectos, estaba dotada de reciprocidad. Una relación, por último, que no precisaba necesariamente el marco institucional.

Situarse en el plano de la experiencia en la propuesta religiosa significaba, en suma, en aquel gran convento de calzadas, no sólo conseguir trasplantar allí lo que era el núcleo, la inspiración fundamental de la reforma de los descalzos tal como la había concebido Teresa y como la había aceptado y desarrollado Juan, sino que significaba también, en el plano de lo vivido, situarse por hipótesis no por encima de las monjas sino a su lado. O sea: significaba, por hipótesis, dejar en segundo plano la asimetría radical entre penitente y confesor y colocar en el lugar central una relación entre maestro, que ha recorrido ya ese camino, y discípula, que incluso puede llegar a revelarle al maestro caminos nuevos.

Era una relación que, como se reconoce en las historias de la psiquiatría dinámica, contenía también un elemento de «curación», si por psicoterapia no se entiende la mera restitución del sujeto a una «normalidad» cualquiera sino la activación en él de un proceso crítico y creativo autónomo. Porque, naturalmente, la «cura» que Juan les proponía a las monjas se fundamentaba en un proyecto de crecimiento de la vida espiritual. Entre otras cosas, proponía activar, al lado de la plegaria ritual repetitiva, un proceso constantemente renovado de oración interior, un proceso de acercamiento a Dios hasta gozar de la perfecta unión con él en esta tierra.

Era también —para él y para ellas— una invitación a descubrir otro Dios, otra idea de Dios. Un Dios distinto, diferente de aquel con el que estaban familiarizadas las monjas; el de Juan era el Dios escondido de la teología negativa, el Dios tenebroso de Dionisio Aeropagita. El Incognoscible que únicamente abre el camino al conocimiento de sí mismo. Un Dios no andromorfo, esto es, no construido a partir de la imagen del hombre como «padre».

(Volvía a replantearse en este punto la asimetría entre las monjas y él; una asimetría no fundamentada ya directamente en la dimensión sacramental, entre quien ha recibido las órdenes sagradas y quienes jamás podrán obtenerlas, sino en la diferencia de conocimientos respecto de quien ha tenido ocasión de descubrir en Salamanca que las teologías son varias, y ante esa pluralidad de opciones ha podido escoger. Nos hallamos aquí frente a la asimetría —ciertamente ligada a la primera— entre quien ha tenido acceso al saber que da poder y quienes, por el hecho de ser mujeres o campesinos, han quedado excluidos de él. Teresa también estaba entre los excluidos.)

El desafío era gravísimo tanto para Teresa como para él: se trataba ante todo de lograr transmitir confianza a aquellas mujeres recluidas y descontentas; de comunicar el deseo de cambiar su propia vida interior, de conseguir volverla significativa, abierta a las experiencias de la receptividad y de la escucha. Inducirlas a descubrir el poder de la pasividad —a condición de alcanzarla a través de un proceso de soledad y de silencio— como dimensión en la que se puede determinar de veras una identidad no rígida y en la que puede nacer y manifestarse la capacidad creadora, la que transforma toda la vida y que se pone de manifiesto en el cuidado de una planta, al cocinar o al poner la mesa. Una experiencia que todo el mundo puede hacer siempre que se coloque en condiciones de vivirla. Se trataba de hacerlas aceptar, en la perspectiva de una dimensión espiritual distinta y en su nombre, las drásticas restricciones respecto de las salidas y las visitas así como la supresión de privilegios que Teresa había impuesto inmediatamente en aquel convento. Un convento, el de las calzadas de la Encarnación de Avila, no falto de tradiciones espirituales, pero que se había ido convirtiendo cada vez más en un pensionado para muchachas a menudo enclaustradas a la fuerza o por conveniencia, y además divididas, en un convento asediado por el hambre, en monjas ricas y pobres: monjas ricas que recibían la comida de sus casas y vivían en celdas cómodas, y monjas pobres que pasaban hambre y dormían en incómodos dormitorios comunes.

Por eso era fundamental para Teresa —tras su nombramiento de oficio como priora, un nombramiento duramente rechazado al principio por el capítulo de las monjas, que por una decisión de los superiores se veía despojado de su prerrogativa de elegir a la priora— conquistar la confianza de las monjas. Desde su primera alocución en el capítulo, que por fortuna se ha conservado, la sagaz Teresa había dicho que deseaba que «todas sirvieran al Señor con suavidad», y también «ya que aquí no lleguemos con las obras lleguemos con los deseos». Pero Teresa, mujer «sin letras», necesitaba el apoyo de un sacerdote, de un teólogo, de un «letrado» para llegar a conquistar a aquellas monjas para la idea que la había guiado desde el comienzo de la «reforma», o sea, la idea de que ese enclaustrarse o ser enclaustradas como mujeres no tenía sólo el sentido sacrificial del consagrarse como vírgenes, sino que podía tener un sentido y una finalidad autónoma de la que tal vez carecía la vida de otras mujeres, de las mujeres casadas o «libres»: un sentido y una finalidad que podían significar ir más allá de la coherencia con el ideal monástico tradicional, fundamentado en la subordinación de la dimensión individual a la colectiva. Podían significar la esperanza, o al menos una posibilidad mayor, no de ganarse el paraíso en la otra vida y de escapar al infierno, según la concepción de la relación con Dios basada en la contabilidad del dar y el recibir, sino de conquistar y experimentar, aquí y en seguida, la felicidad de una relación con Dios como relación de amistad, de diálogo, de amor, de unión y de goce.

Significaba, en resumen, lograr introducir en aquel convento una nueva dinámica, transformar aquel colectivo mal avenido en una comunidad, e instituir una relación entre un maestro y un grupo. Significaba conseguir activar en los individuos y en el grupo un proceso de diferenciación. Significaba poner en marcha en cada monja particular el proceso de diferenciación entre la imagen de sí misma como persona corriente y la visión de sí como de quien puede entrar en relación con lo divino.

Nada sabemos —si se exceptúa la práctica de repartir billetes— de las relaciones cotidianas de Juan con las monjas. De su práctica como prior de un convento masculino sabemos que instituyó la costumbre de tener encuentros individuales por turno con cada cofrade al anochecer. Sabemos que era el confesor de las monjas. Y por sus libros sabemos que tanto él como Teresa sostenían —contra los confesores dirigistas y autoritarios— que se debe respetar el camino de cada alma. Lo cual hace pensar que en la Encarnación Juan debió poner en marcha procesos capaces de volver posible aquella libertad: se trataba de ir más allá de las formas convencionales a que se podía reducir la confesión auricular, la cual sólo era ocasión de que las monjas dieran de sí una imagen petrificada y repetitiva.

Se tornaba importante establecer una separación entre el estado y la dinámica actuantes en cada monja del grupo respecto de los actuantes en el colectivo de las monjas, cuya uniformidad quedaba garantizada de todos modos por la práctica ritual, por la oración verbal en la que la «voz», la *foné*, garantizaba la presencia de Dios como oyente según modelos procedentes de la cultura masculina. Y abrir al mismo tiempo en la dinámica interior de cada monja el disponerse para un diálogo interior, la capacidad para escuchar y recibir la palabra y la acción de Dios.

En la realización de su trabajo de maestro Juan partía, como se ha dicho, de un supuesto que había constituido uno de los principales puntos de entendimiento entre Teresa y él: el firme convencimiento de que no puede haber modelos rígidos, válidos para todos, en la vida espiritual, sino que por el contrario se debe respetar las opciones de cada alma y sus itinerarios hacia Dios. Juan ha hecho algunas aportaciones importantes a este tema, que se vuelve a encontrar formulado como «pedagogía de Dios» en *Llama de amor viva* (A, III, 38).

Se trata del pasaje del que se ha tomado en el capítulo II la comparación con el escultor:

> [...] cuántas veces está Dios ungiendo al alma contemplativa con alguna unción muy delgada de noticia amorosa, serena, pacífica, solitaria y muy ajena del sentido y de lo que se puede pensar [...], y vendrá un maestro espiritual que no sabe sino martillear y macear con las potencias como herrero [...].

Un único modelo —para todos y para todas—: Jesús, el Hijo que el Padre entrega a los hombres, en páginas fundamentales de *Subida del Monte Carmelo*. Jesús crucificado como modelo de la autoanulación que constituirá el centro de la propuesta espiritual de Juan.

De este tipo de relación —que en el director presuponía por un lado la experiencia interior de la receptividad y de la escucha y por otro la capacidad de retirarse, de negarse, para dejar libre curso a la experiencia del otro— brotaba también la necesidad, tanto para Teresa como para Juan, de enseñar a saberse comprender, ante todo a sí mismos y luego a los demás. «Qué terrible es para las almas no saberse comprender», escribirá Juan de la Cruz. Y, naturalmente, saberse comprender significa saber hablarse, establecer un diálogo en el interior de la psique entre los diversos niveles de la comprensión. Significa aprender a controlar y desarrollar las propias capacidades de lenguaje. De hecho, la «cura» consistía en el «hablar» en una relación que se ponía en marcha en la forma de un coloquio; un coloquio buena parte del cual estaba confiado a la narración y a la descripción por parte de la monja «dirigida», la cual se presentaba como discípula y como maestra a la vez en cuanto portadora, como mujer, de una cultura tradicionalmente rica en «experiencia». Significaba volverse capaces de traducir a un lenguaje comunicativo el lenguaje endofásico que es de todos y de cada uno, ese lenguaje interior secreto al que históricamente sólo la literatura ha osado —en formas que van desde el monólogo interior al flujo de consciencia— dar voz.

Mucho debió aprender Juan de la Cruz durante aquellos cinco años de coloquios en el monasterio de la Encarnación, y mucho debieron aprender las monjas de aquel «medio fraile» de tez oscura y actitud absolutamente esquiva.

La relación que hubo entre Juan y las ciento cincuenta monjas debió ser una relación rica y compleja, de la que necesariamente se nos escapan los detalles y las gradaciones personales que no se podían mencionar, precisamente por la naturaleza esencialmente «secreta» y sacramental de tales coloquios, ni siquiera en un testimonio póstumo. Pero tenemos claras huellas de ella en los escritos que recogen —como se verá— este humus de experiencia como forma de profunda implicación humana.

Nos han quedado huellas sólo en algunos de los *Dichos de luz y amor*, la colección de aforismos que Juan reunió y transcribió entre 1578 y 1580: algunos de ellos podrían ser el texto contenido en los billetes que les repartía a las monjas invitándolas a «leerlos muchas veces». Cierto número de ellos está dedicado, no por azar, a la función del «maestro». Otros son máximas que no desentonarían en la antología de un moralista del siglo XVI:

> Siempre el Señor descubrió los tesoros de su sabiduría y espíritu a los mortales; mas ahora que la malicia va descubriendo más su cara, mucho los descubre.

En todo caso, fueran como fueren las vicisitudes de esa relación en los detalles, el contenido de aquellos coloquios no podía dejar de plantearse más allá de la sensualidad; y ello no sólo y no tanto por obediencia a la norma sino porque toda experiencia interior auténtica —piénsese en el caso de la práctica psicoanalítica— sólo puede construirse mediante la superación del nivel opaco de la sensualidad. En cuanto a vertientes sexuales, por eso mismo menos aún pudo tenerlas: no sólo porque la castidad es un componente esencial de los grandes itinerarios espirituales, sino porque toda infracción banal del tabú hubiera suscitado, a través del inevitable sentimiento de culpa, una recaída en el yo como prisión: en ese yo que el itinerario de Juan pretendía destruir y superar.

No es un azar sin embargo que para este período de la vida de Juan de la Cruz haya algunos testimonios que representen a la mujer en la clásica función de «tentadora» respecto de un varón joven y misteriosamente atractivo: como el que habla de una muchacha «joven y hermosa», que llegó a entrar en el corralillo contiguo al de la casita en que vivía Juan con su compañero, «incitándole y provocándole con su persona».

Durante este período Juan de la Cruz tuvo también, como puntos de contacto con lo «femenino», algunos encargos de exorcista. Sabido es que la interpretación en términos de posesión u obsesión diabólica de los fenómenos psicóticos era corriente en el siglo XVI para los dos sexos, pero es igualmente sabido que el número de mujeres juzgadas «endemoniadas» era muy grande. Se trata —y la cita es del clásico manual de Ellenberger— de individuos «que pierden de improviso su identidad [...] Su fisonomía cambia, y muestran un notable parecido con el individuo cuya encarnación se supone que son. Con voz alterada pronuncian palabras correspondientes a la personalidad del nuevo individuo», etcétera.

La historia moderna de la psiquiatría ha reconocido en las prácticas exorcistas ciertas semejanzas con las técnicas terapéuticas practicadas, sobre bases científicas, por un psiquiatra moderno. En uno y otro caso lo importante era y es la personalidad del exorcista.

He aquí la descripción de esas sesiones en el libro de Ellenberger: una descripción en la que es fácil determinar los puntos de semejanza y de diferencia respecto de las sesiones de psicoterapia modernas:

> El exorcismo es exactamente lo opuesto de la posesión, y es un tipo de psicoterapia estructurado de un modo muy preciso. Sus características fundamentales son las siguientes: el exorcista, por lo común, no habla en su propio nombre, sino en nombre de una entidad distinta y más poderosa; debe tener una confianza absoluta ya sea en tal entidad más poderosa ya en sus propios poderes, como también en la realidad de la posesión y del espíritu posesor. El exorcista apostrofa solemnemente al intruso, haciendo las veces de la entidad superior a la que representa. Al individuo poseído le da ánimos; todas sus amenazas y todas sus admoniciones se dirigen al espíritu intruso. Los preparativos del exorcista para su tarea son largos y dificultosos; a menudo incluyen oraciones y ayunos. Cuando es posible el exorcismo ha de tener lugar en un espacio consagrado, en un ambiente definido y en presencia de testigos, pero evitando al mismo tiempo a los curiosos inútiles. El exorcista debe inducir a hablar al intruso y, tras largas discusiones, a veces puede tener lugar una especie de contrato o trueque. El exorcismo es una lucha entre el exorcista y el espíritu intruso; a menudo una lucha larga, dificultosa, desesperada, que puede prolongarse durante días, semanas, meses o incluso años antes de que se logre alcanzar una victoria completa. No son raras las veces en que el exorcista sale derrotado, y además él mismo se halla en peligro constante de ser poseído por ese mismo espíritu al que acaba de expulsar de un paciente.

Queda en pie la radical asimetría histórica por la cual el exorcista era siempre —y únicamente— un varón, mientras que la endemoniada era bastante a menudo una mujer, asimetría que en cierta medida se ha repetido en los orígenes del psicoanálisis. Pero también en este terreno se entrevé en Juan de la Cruz una diferencia, una perplejidad; no por azar escasamente hay en él, a diferencia de otros escritores de su tiempo, referencias a la misoginia tradicional que se encuentra por ejemplo en los *Proverbios*, donde se habla de la mujer/Eva «por cuya culpa morimos todos»; e, inversamente, también son escasas en él las referencias a la Virgen María —pese a los esfuerzos de los biógrafos devotos por encontrarlas— como imagen asexuada y mítica de lo «femenino».

No sabemos con precisión qué pensaba en su fuero interno Juan de la Cruz acerca de la posesión y del exorcismo. Sólo sabemos con claridad que creía obviamente en la realidad del demonio y en la posibilidad del pacto oculto con el maligno, pero también sabemos que ese demonio suyo era —como atestigua una larga serie de pasajes que se pueden encontrar en sus textos— muy interior, según formas que podrían interesar mucho a un psicólogo de la personalidad moderno.

Se ha perdido la relación que Juan dirigió a la Inquisición a propósito del caso de endemoniada más importante que trató con éxito: María de Olivares, una agustina de Ávila que tenía el don de lenguas y profetizaba. Entre los testimonios, sin embargo, tenemos un detalle curioso: al tener que ausentarse Juan durante una semana, a la pobrecilla, atormentada por frases e imágenes obsesivas, «le dejó en un papel escrito y firmado de su letra lo que le había enseñado de palabra, para que cuando el demonio, aunque tomase su figura y en su nombre, le dijese otra cosa, pudiese fácilmente conocerlo, cotejando lo que le decía el falso maestro con lo que tenía escrito de mano de su verdadero maestro y confesor».

Tercero pero fundamental aspecto de la confrontación con lo femenino que constituyó para Juan de la Cruz su período de la Encarnación fue la relación/confrontación con Teresa de Jesús, con quien durante los dos primeros años tuvo que convivir y compartir la responsabilidad de la dirección y el gobierno del convento.

La relación entre dos grandes personalidades, que están coincidiendo históricamente en las líneas esenciales de su proyecto espiritual, no podía dejar de presentar —precisamente por tratarse de dos personalidades grandes y de un proyecto espiritual auténtico— una serie de puntos de fricción. Y muchos de ellos debieron aparecer como una gran lección ante las cada vez más activas y lúcidas carmelitas calzadas de la Encarnación.

Los roces entre Teresa y Juan se habían manifestado en seguida, desde los primeros tiempos, cuando Teresa se había llevado con ella a Valladolid a aquel «medio fraile» que parecía, como Teresa dice en una carta, «propio para nuestro intento». Le había llevado consigo ante todo para que viera de cerca las resistencias y las dificultades con que se fundaban aquellos conventos «de nuevo tipo»; y también para mostrarle de cerca las formas de penitencia y de recreación, el difícil equilibrio entre tradición ascética y espíritu humanista que pretendía conseguir el Carmelo descalzo inventado por Teresa. Es Teresa quien cuenta en una carta que «aunque hemos tenido aquí algunas ocasiones en negocios, y yo que soy la mesma ocasión, que me he enojado con él a ratos, jamás le hemos visto una imperfección». (Y tal vez Juan de la Cruz se acordaba de estos episodios cuando en el libro primero de *Noche oscura* habla de quienes «se aíran muy fácilmente por cualquier cosilla, y aun a veces no hay quien los sufra».) Un testimonio nos aporta además un detalle que puede iluminar la diferencia entre las dos personalidades: alguien hace un comentario irónico, en los tiempos de Valladolid, sobre la presencia de Juan como acompañante. Juan, en este punto, se ruboriza; Teresa, con despiadada ocurrencia mundana, sentencia: «No se avergüenza la dama y se avergüenza el galán».

Los testimonios nos aportan además dos episodios curiosos a propósito del período de la Encarnación.

El primero lo cuenta la propia Teresa en uno de los preciosos apuntes que siempre iba tomando y conservando, como auténtica escritora y narradora que era; unos apuntes que en la tradición teresiana se conocen con el nombre de *Relaciones*. Cierto día Juan de la Cruz —cuenta Teresa— le dio, en el momento de comulgar, una hostia más pequeña de lo acostumbrado. Por parte de Juan debía tratarse de una crítica práctica a una tendencia que era realmente de «materialismo vulgar», si se piensa, como cuenta Piero Camporesi, que más o menos en la misma época había nobles que pretendían hostias mucho mayores que las que se distribuían a la gente corriente. Y de uno de los apuntes resulta que Teresa le había dicho a Juan que le «gustaba mucho cuando eran grandes las Formas».

En otro caso se trata de un testimonio que nos revela que Juan incluso llegó a decirle a Teresa, evidentemente en presencia de testigos, que «cuando se confiesa, madre, se disculpa lindísimamente», una reconvención de la que tenemos una contraprueba singular en un pasaje del Libro I de *Noche oscura*, donde se dice:

> Tienen empacho de decir sus pecados desnudos porque no los tengan sus confesores en menos, y vanlos coloreando porque no parezcan tan malos, lo cual más es irse a excusar que [a] acusar.

Pero tal vez el punto de fricción más evidente entre los dos, en los años de la Encarnación, es el que revela un curioso texto que se puede fechar en 1576, cuando Teresa ya había regresado a Castilla de su aventura andaluza y estaba confinada en Toledo al haber suscitado las iras de los dirigentes de la orden y del nuevo nuncio apostólico, el italiano Filippo Sega, por su atrevimiento e independencia como fundadora y como maestra espiritual.

Teresa le había confiado a su hermano Lorenzo —vuelto éste de las Indias como conquistador cargado de oro, pero dedicado, como buen «cristiano nuevo» a la caza de la dignidad del «cristiano viejo», a pasearse por la propiedad recientemente adquirida y a entregarse a ejercicios espirituales— que la «voz» le había dicho: «Búscate en mí». Se trata de un polo clásico de la experiencia interior, opuesto, como resulta evidente, al «Búscame en ti». Lorenzo convocó entonces en Ávila una reunión de amigos al objeto de recoger respuestas —según una costumbre corriente entre los espirituales de la época— a esa provocación de su hermana. Unas respuestas que luego se le enviarían a Teresa, para que ella —siempre siguiendo la costumbre— pudiera contestar a su vez. De esta correspondencia por desgracia sólo conservamos las respuestas de Teresa, y sólo tenemos, pues, la contestación de Teresa a la intervención de Juan: «Caro costaría si no pudiésemos buscar a Dios sino cuando estuviésemos muertos al mundo». Ocurrencia polémica por parte de la realista y la posibilista Teresa frente al radicalismo y el extremismo de Juan. Pero Teresa añade inmediatamente un detalle que nos parece verdaderamente revelador, por aludir precisamente a la serie de presencias femeninas en el Evangelio: «No lo estava la Madalena, ni la Samaritana, ni la Cananea, cuando le hallaron».

(No resulta fácil descifrar el significado de esta ocurrencia teresiana. Alude ciertamente a conversaciones y discusiones entre ellos dos acerca de la relación entre Jesús y las mujeres. Y tampoco hay que olvidar que en la primera redacción de *Camino de perfección* —la primera redacción censurada y rechazada, pero conservada por Teresa con un valor que no tiene parangón—, figuraba una frase que no ha podido entrar, a causa de la censura, en la tradición femenina y feminista: «No basta, Señor, que nos tiene el mundo acorraladas [...] los jueces del mundo, que como son hijos de Adán y, en fin, todos varones, no hay virtud de mujer que no tengan por sospechosa [...]».)

Teresa concluye su respuesta, escrita toda ella entre lo espiritual y lo jocoso, con una ocurrencia que tal vez encaje justamente en el código de estas formas literarias de uso en los conventos: «Dios me libre de gente tan espiritual que todo lo quieren hacer contemplación perfecta, dé do diere». Probablemente los escritos de Juan de la Cruz llevan muchas huellas del debate que en aquellos años tuvo que plantearse con fuerza entre Teresa, dedicada a registrar y contar voces, visiones y éxtasis, y Juan, empeñado precisamente, como veremos, en la crítica de la afición por estas «gracias» que él consideraba indicios de gula y de lujuria espirituales. Al igual que hay muchas huellas, en los libros de Teresa, del magisterio de Juan de la Cruz. Queda el hecho de que a partir de 1575, cuando encontró a Jerónimo Gracián, ella prefirió a aquel joven brillante y emprendedor al introvertido y riguroso Juan de la Cruz. Pero sigue siendo cierto que cuando Juan fue secuestrado por los calzados Teresa fue la única entre los descalzos que se preocupó por él, mostrándose consciente de la gran pérdida que la muerte de Juan de la Cruz habría constituido para todos.

Ciertamente, las monjas de la Encarnación, de quienes se presume que habían leído escritos teresianos pero que sin duda habían escuchado muchas de las alocuciones de Teresa en el refectorio o en el capítulo, bien debieron percibir que en las palabras y en el comportamiento de Juan había una crítica de fondo al proyecto espiritual teresiano mismo, centrado todo él en la defensa de esa «nueva vida» que nace en el alma después de elegir el proyecto de perfección interior: una nueva vida constelada de gracias espirituales, de voces, de visiones, de éxtasis.

Uno de los *Dichos de luz y amor* —que, como se ha señalado, podrían contener algunos de los billetes distribuidos por Juan a las monjas de la Encarnación—, dice: «Mucho se desmejora y menoscaba el secreto de la conciencia todas las veces que alguno manifiesta a los hombres el fruto de ella, porque entonces recibe por galardón el fruto de la fama transitoria». Hay aquí el proyecto de un escritor auténtico; pero acaso también una crítica a Teresa; una crítica del autobiografismo de los escritos —y probablemente también de los discursos— de Teresa: escritos y discursos a los que no obstante Juan de la Cruz, como literato auténtico, reconoció en cierta ocasión que las cosas de la vida espiritual están en ellos «dichas muy bien».

Acaso pudo traslucir ya en aquella enseñanza como director espiritual en Ávila algo de la posición que a propósito de las «voces» expone lúcidamente Juan en el libro segundo de la *Subida del Monte Carmelo* (29,4):

> cualquiera alma de por ahí con cuatro maravedís de consideración, si siente algunas locuciones de éstas en algún recogimiento, luego lo bautizan todo por de Dios y suponen que es así, diciendo: «Díjome Dios», «Respondióme Dios»; y no será así, sino que (como habemos dicho) ellos las más de las veces se lo dicen.

Lo había explicado muy bien en el punto 1 del mismo capítulo, con una intrépida lucidez que hace pensar en Spinoza:

> [...] cuando está el espíritu recogido y embebido en alguna consideración muy atento, y en aquella misma materia que piensa él mismo va discurriendo de uno en otro y formando palabras y razones muy a propósito, con tanta facilidad y distinción y tales cosas no sabidas de él va razonando y descubriendo acerca de aquello, que le parece que no es él el que hace aquello, sino que otra persona interiormente lo va razonando, o respondiendo, o enseñando. Y, a la verdad, hay gran causa para pensar esto, porque él mismo se razona y se responde consigo, como si fuese una persona con otra [...].

Y lo que sigue. (Verdaderamente, hay que preguntarse cómo se le han podido aplicar a la personalidad de Juan en ciertos casos criterios sobrenaturalistas que le eran completamente extraños.)

También debió ser importante para aquellas monjas la crítica del éxtasis que ciertamente ya entonces debía haber desarrollado Juan de la Cruz como momento de goce místico en el que el sujeto —como en la *Santa Teresa* de Bernini— se pierde, y en ese momento se vuelve incapaz de registrar nada. Juan las conducía en cambio hacia la construcción de un sujeto fuerte, estable, más capaz de adueñarse de las experiencias mentales difícilmente controladas y controlables por el sujeto. Y por Juan tuvo que verse influida Teresa, que tras el período de la Encarnación pasó de la experiencia y la concepción presentes en el *Libro de la vida* (que es de 1560), que tiene su punto culminante en el éxtasis, a la experiencia de la relación estable con Dios en el final del *Castillo interior*, escrito en 1577.

De modo que no sorprende nada que en 1578 Teresa de Jesús escribiera de Juan que «le echan mucho de menos las que estaban hechas a su doctrina».

Sobre todo, Juan de la Cruz debió presentarles a esas monjas, como fruto de la más elevada contemplación, la «contemplación oscura», los estados de angustia y opresión que todo ser humano puede experimentar cuando se halla ante el sinsentido de la existencia o el sinsentido de la existencia sin Dios. Esa aceptación de la desesperación y la angustia como un signo divino no sólo significaba que se podía salir de tales estados, sino que era esa angustia, y no las sorprendentes experiencias de éxtasis, el punto más alto de la vida interior. Avanzar en la oscuridad, detenerse en lo negativo y no exorcizarlo.

Juan, que, como Simone Weil, era tan drásticamente hostil hacia cuanto puede haber de imaginario en la experiencia religiosa, debió comunicar a aquellas monjas la presencia de ánimo fundamental que sabe prescindir de cualquier certidumbre ya dada.

Y aquellas monjas se convirtieron en protagonistas —en un pequeño Port-Royal del que se ha hablado muy poco, por el silencio que cayó desde los primeros años del siglo XVII sobre los espirituales españoles— de un episodio de resistencia al poder, cuando se negaron, en el momento de la elección de la priora, a aceptar la voluntad de los superiores —obviamente de sexo masculino—, incurriendo por tanto, como rebeldes, en la excomunión. En la misma exclusión de los sacramentos, en el mismo castigo —extremadamente doloroso para una monja de clausura, por implicar entre otras cosas el riesgo y la posibilidad de morir sin el viático— que mucho tiempo después sería infligido a las cistercienses de Port-Royal.

De esa valerosa resistencia femenina nació también la detención de la noche entre el 2 y el 3 de diciembre. Con Juan de la Cruz que logra escapar en un primer momento a la vigilancia de los calzados y de los alguaciles que han ido a detenerle para correr a destruir sus papeles, y luego, cuando le sorprenden, consigue comerse algunos.

Fue una detención —como el encarcelamiento que le siguió— que encajaba en la jurisdicción disciplinar normal contra monjes considerados «rebeldes», pero que en el caso de Juan se caracterizó por una dureza excepcional, sobre todo al mantenerlo secuestrado y aislado de sus amigos; una dureza que ha hecho hablar de comportamiento «inquisitorial». De hecho Teresa temió por su vida, y así lo escribió a Felipe II, diciendo elocuentemente que «tuviera por mejor que estuviera entre moros, porque quizá tuvieran más piedad».

Y ciertamente no es una casualidad que entre quienes maltrataron a Juan en la cárcel estuviera —una vez dándole incluso una patada en el fétido cuchitril donde estaba encerrado, diciéndole: «¿Por qué no se levanta, ya que he venido a visitarle?»— el mismo provincial de los calzados, el padre Maldonado, que había presidido aquella elección en la Encarnación y que, cuando encontraba votos que no le convenían, «con el puño machucava los votos y les dava golpes y luego los quemava».

Fue una de esas monjas de la Encarnación —en una historia como ésta del hijo de la Catalina caracterizada toda ella por el olvido y la destrucción de las obras figurativas que solía esculpir, grabar o dibujar durante los recreos— quien nos ha conservado el dibujo de Jesús crucificado.

Un Cristo en la cruz visto en atrevido escorzo desde arriba hacia abajo, desde una perspectiva situada arriba a la izquierda; visto con una mirada que podría ser la de Dios Padre respecto del Hijo. En cualquier caso, se trata de un punto de vista de una angustia absoluta, único en la historia de las representaciones de la crucifixión, con el Cristo solo y aplastado por esa mirada, con la cabeza hacia adelante, los brazos tensos, casi a punto de partirse, con una torsión en el brazo izquierdo particularmente violenta.

(Salvador Dalí retomó en su *El Cristo de San Juan de la Cruz*, de 1951, la idea del escorzo desde arriba, pero adoptó un punto de vista frontal y no lateral, y, sobre todo, sustituyó las retorcidas líneas del dibujo de Juan, de un ser humano reducido al extremo de la agonía, por la perfección de un cuerpo joven atlético e impasible, inserto en la perspectiva de un triángulo de claro simbolismo trinitario, mientras la cabeza del Cristo —sin la corona de espinas tan evidente en Juan— resulta ser el centro de un círculo, símbolo de eternidad. En realidad lo opuesto de la concepción del dibujo de Juan.)

En el dibujo de Juan dos clavos enormes a cada extremo del travesaño de la cruz acentúan su originalidad expresionista, que recuerda la crucifixión de Matthias Grünewald, crucifixión por otra parte completamente distinta del planteamiento de Juan de la Cruz al caracterizarse por la tradicional perspectiva de abajo a arriba y por la presencia de figuras dolientes, con una Virgen que cae entre los brazos del discípulo Juan.

Pero ese dibujo nos da otras informaciones importantes sobre Juan de la Cruz. Nos revela una mano ejercitada y figurativamente «culta», lo que presupone un ejercicio frecuente, por no decir constante, y una atención notable —documentada también por sus escritos en prosa— por las formas artísticas que había a su alrededor.

Pero nos dice también algo más profundo, y es que precisamente en aquellos años Juan fue más allá de la temática tradicional del Cristo crucificado. Fue más allá del modelo penitencial, en que los hombres reconocían su propia culpa y aceptaban los flagelos enviados por un Dios despiadado que había querido el sacrificio y el sufrimiento de su propio Hijo; un modelo en el que por tanto se aceptaban como castigos flagelos tales como la peste o la escasez. Una superación del tema de la Cruz —tema ciertamente central en sus primeros años de contemplativo (lo dice hasta el nombre elegido como carmelita descalzo)— en el sentido de un planteamiento de la relación con Dios que no sólo consideraba la identificación con el modelo de Jesús crucificado más según el modelo interior de la negación de sí que en el plano físico del sufrimiento, sino que, sobre todo, ponía en un lugar central, más allá de la Cruz, la acción oscura de Dios sobre el alma: la experiencia de la noche.

Dostoievski escribió a propósito del *Cristo muerto* de Holbein —un cadáver tendido horizontalmente, como inmerso en la soledad absoluta de la cámara mortuoria de un hospital atestado de nuestros días, sin la compañía, habitual en las crucifixiones, de personajes sumidos en el dolor, y falto incluso de la certidumbre de la resurrección— que es un cuadro «por el que se puede perder la fe». Este dibujo de Juan —un hombre moribundo totalmente aplastado por esa mirada desde arriba— parece el signo de una soledad absoluta.

APOSTILLA V

La relación entre monja y director espiritual —que incluye, como hemos visto, el exorcismo— sólo puede ser leída en el marco que ha hecho posible el pensamiento feminista de la segunda mitad del siglo XX. Son de particular valor los escritos de Ida Magli —desde *La donna, un problema aperto* (Vallecchi, Florencia, 1974) a *Gesù di Nazareth* (Rizzoli, Milán, 1982) y la biografía de *Santa Teresa del Bambin Gesù* (Rizzoli, Milán, 1984)—, por el modo en que Ida Magli, además de buscar y descubrir valores femeninos autónomos, lleva a cabo una ajustada crítica de la «cultura» cuyo significado constituye y fundamenta la mujer y en particular la monja.

Las aportaciones de los psicoanalistas a la lectura de esta relación se sitúan en otra vertiente. Resultan anticuados y en conjunto insatisfactorios los ya clásicos ensayos de Jung, «Cura de almas» y «Dirección espiritual», donde se limita a hacer, en un planteamiento rigurosamente asexuado —como si la dirección espiritual y la función del confesor no aparecieran históricamente marcadas a fondo por la «diferencia sexual»—, el análisis diferencial de un aspecto que, como es sabido, le era bastante caro a Jung: la diferencia de corte y de eficacia de la «cura de almas» y la «dirección espiritual» entre protestantismo y catolicismo. Muy distinto, y mucho más profundo, es el corte del libro de Bion de que se habla en la Apostilla al capítulo octavo.

Por eso el único camino fecundo es el que se ha intentado seguir aquí: buscar justamente en las obras de Juan los contenidos espirituales de esa relación, al estar como está esa obra llena del eco de los razonamientos y las observaciones realizadas durante su «trabajo» con las monjas.

Han sido particularmente útiles —precisamente por tratarse de dos lecturas de las obras realizadas con actitud crítica e innovadora— dos libros recientes. Uno es del canónigo de Bourges, Max Huot de Longchamp, *Lectures de saint Jean de la Croix. Essai d'anthropologie mystique* (Beauchesne, París, 1981) —un estudioso del que tendremos ocasión de ocuparnos en la Apostilla al capítulo IX—: en este libro los textos ocupan un lugar central, y se dibuja en Juan de la Cruz una línea de salida del marco teológico en favor del carácter fundamental, en cambio, de la experiencia espiritual. El segundo libro útil para leer los textos de Juan en función de la reconstrucción de su relación con las monjas es el de la psicoanalista lacaniana e hispanista Erminia Macola, *Il Castello interiore. Il percorso soggetivo nell'esperienza mistica di Teresa d'Avila e di Giovanni della Croce*, con prefacio de Gianni Baget Bozzo (Edizioni Biblioteca dell'Immagine, Pordenone, 1987).

Las referencias a la «historia de la psiquiatría dinámica» están tomadas de Henri F. Ellenberger, *El descubrimiento del inconsciente* (Gredos, Madrid, 1976). El pasaje sobre el exorcismo está en las páginas iniciales del volumen I.

La referencia al cuadro de Holbein procede de «Il *Cristo morto* di Holbein», en Julia Kristeva, *Soleil noir; Dépression et mélancolie* (Gallimard, París, 1989).

Para más detalles sobre la vida en la Encarnación y sobre las relaciones entre Teresa y Juan, *vid.* Rosa Rossi, *Teresa de Ávila. Biografía de una escritora*, citado.

VI

LA GRACIA DE TOLEDO: EL *CÁNTICO ESPIRITUAL*

C A N C I O N E S E N T R E
el alma yelesposo

Esposa.

÷Adonde te escondiste
amado yme dexaste congemído?
como elcieruo huiste
auiendome herido
sali *trastí*[1] clamando, y eras ydo.

÷ Pastores los que fuerdes
alla porlas majadas alotero
si por uentura vierdes
aquel que yo mas quiero
Dezilde que adolesco, peno,ymuero

÷ Buscando mis amores
yré poresos montes yriberas
ní cogere las flores
nitemere las fieras
ypassare los fuertes y fronteras.

pregunta Alas criaturas

÷ O bosques, yespesuras:

1. "Triste" escribió el amanuense. El Santo corrige "trastí". Cuantas veces se copia este verso, otras tantas comete el amanuense el mismo error. Es muy probable que copiara de un códice con esta variante o bien que el Santo en la anterior versión hubiese escrito "triste".

Primeras estrofas del *Cántico espiritual*, tomadas del manuscrito de Sanlúcar de Barrameda, que Juan corrigió personalmente.

A Ana de San Alberto, que le pedía que le hablara de las experiencias de la cárcel, Juan le respondió: «Hija, ni siquiera una sola de las gracias que allí me ha hecho Dios se podría pagar con muchos años de aquella carcelilla».

Trataremos de enumerar algunas de esas gracias.

La primera gracia consistió en someter a la máxima prueba su capacidad de «estar en soledad». En aquel agujero irrespirable Juan hizo realidad hasta en algunos detalles lo que mucho después escribió Kafka:

> He pensado muchas veces que el mejor modo de vida para mí consistiría en estar con lo necesario para escribir y una lámpara en el lugar más recóndito de una bodega grande y cerrada [...] El camino para ir a comer sería mi único paseo [...] ¡Quién sabe qué escribiría! ¡De qué profundidades sacaría partido!

El propio Juan de la Cruz, unos años después de aquello, escribió: «¡Oh, me encerraran de veras y pudiera estar solo con Dios!». Allí la coerción sobre él alcanzó un punto máximo, y el intento de destruir su identidad fue de lo más violento. Durante meses y meses vivió con el temor de que la mísera comida que le daban estuviera envenenada —una vieja técnica por parte de quien desea eliminar silenciosamente a una persona—. También allí alcanzó su intensidad máxima el intento de eliminar la «diversidad» conquistada por él con las valerosas opciones de su vida. A Ana de San Alberto le confió que la única idea que en aquellos días le sumía en la desesperación era que sus amigos y la madre Teresa pudieran pensar que «se había ido volviendo las espaldas a lo comenzado», que se había «arrepentido» y había renunciado a su «diversidad» de descalzo. Allí se manifestó en él —que ciertamente ya había escrito antes, pero a un nivel de tensión creadora distinto— el talento artístico absoluto que revela el *Cántico espiritual*, el texto poético escrito en aquel agujero maloliente; un texto en el que se produce una reescritura genial —comparable por su densidad a la que Virgilio hizo de Homero y Dante de Virgilio— de un texto grandísimo de la poesía judía, el *Cantar de los Cantares*, un texto que da cuerpo a lo que Northrop Frye ha definido como «una numinosa presencia en el mundo».

Allí, en aquel retrete maloliente, en la segregación más absoluta, Juan era libre. Allí pudo descubrir el secreto de la relación entre escritura y experiencia, entre el poder del no-decir —el silencio— y el poder del no-no-decir —la palabra—. Por eso escribió poesía, porque la poesía es el punto extremo de este descubrimiento. Allí pudo comprobar la fuerza generadora del camino espiritual que estaba recorriendo y que había propuesto a las monjas de la Encarnación: el camino que preveía el vaciamiento de la mente para crear allí un espacio nuevo y libre donde elaborar la propia perceptividad, donde colocarse lo más cerca posible de la cualidad paradójica que es tan propia de la fe «oscura» como del arte. «Un artista no puede trabajar realmente si no se halla en soledad, en un ambiente que le permita tener constantemente bajo control su percepción del mundo externo, para que la unidad invisible de la idea y de su realización no se haga pedazos por la irrupción de una presencia extraña»: tal cosa ha escrito Michel Schneider a propósito de Glenn Gould, pero Mozart no decía cosas muy distintas.

Juan, allí, en una situación física que era casi de completa oscuridad, pudo experimentar el terror que invade al alma en la oscuridad prolongada, experimentar «esa condición infernal con que debemos ponernos en relación para que no nos aniquile con su tenebroso poder». Pero a la vez experimentó interiormente la función heurística y creadora de la oscuridad, de la que Beckett ha escrito:

> Finalmente me ha quedado claro que la oscuridad que siempre he combatido durante todo este tiempo es en realidad el más indestructible de los vínculos [...] con la luz de la comprensión.

Allí Juan —que ciertamente ya había escrito versos y se había adiestrado, tal vez desde la escuela de los jesuitas, en contar sílabas y encontrar rimas (se habla para su época del noviciado de «algunas poesías en verso heroico y en otros metros adecuados para la poesía pastoril»)— encarnó en experiencia vivida el carácter autocomunicativo de la poesía: pues, en verdad, nadie podía garantizarle, mientras escribía allí, que aquellos versos saldrían de aquel cuchitril, que les llegarían con su perfección a otros seres humanos, a un ser cualquiera que no fuera el Otro que habitaba en él. Allí perfeccionó la crítica que es propia de la experiencia mística respecto del carácter meramente comunicativo de la lengua y superó al mismo tiempo el vértigo del silencio místico, de la *sigè*. Luego, apenas salido de aquella cárcel en una fuga rocambolesca, confió aquellos versos a las descalzas del convento de Toledo, poniendo en marcha así el movimiento del *samizdat*; igual que Osip Mandel'stam, quien estaba convencido de que ése era el mejor medio para conservar su obra: «ya se ocupará la gente de custodiarla».

Allí, en aquel estado de abandono total por parte de cualquier otro ser humano, el estado que en otros paraliza el pensamiento, Juan de la Cruz escribió una grandísima poesía de amor, elaborando en sentido erótico —con los acentos de la búsqueda y del deseo del Amado— el sensualismo del texto atribuido a Salomón, escapando a las lecturas alegóricas que la tradición había hecho de aquel texto hacia una poesía atrevidamente nueva en la que se han reconocido los poetas simbolistas del siglo XX. Recurrió a símbolos que se encuentran ya en la gran poesía sufí con un parecido de acentos que ha dado mucho que pensar acerca de los posibles canales de contacto con esa cultura; una cultura que también había florecido en España, pero que en la época de Juan, en España, estaba drásticamente marginada y sepulta.

Allí, en aquella cárcel hedionda, pero de la que hubiera podido salir, igual que Gramsci de la suya, sólo con renegar de la reforma teresiana, Juan logró transformar la abyección del secuestrado en el goce del anacoreta, en la condición esencial del artista. Y debió reírse por dentro cuando algunos calzados, en el intento de vencer su resistencia, y tal vez empujados por el deseo de sacarle de aquella prisión maloliente, le llegaron a ofrecer —claro que con aquella condición— un priorato, una celda cómoda y una buena biblioteca.

Allí llegó a encontrarse Juan «en uno de esos momentos clave en que somos extraños para nosotros mismos y erramos a las puertas de nuestra psique. Y damos aldabonazos a ciegas a las puertas de la turbulencia, de la creatividad, de la inhibición en el interior de la *terra incognita* de nuestro yo». En uno de esos momentos en que se da «esa extraordinaria energía, ese extraordinario dominio del instinto, esa movilización organizada de la intuición» que para George Steiner son los «signos distintivos de un artista».

Nadiezhda cuenta que Osip Mandel'stam componía versos caminando a grandes pasos porque estaba poseído por el demonio del ritmo, esencial para un poeta del siglo XX. De Juan de la Cruz sabemos que iba por la calle canturreando salmos e himnos; y podemos imaginarle componiendo sus estrofas en aquel cuartucho maloliente buscando sus símbolos en la mente y en la Biblia, sentado en el suelo, como hará luego en el salón de la señora de Segovia.

Cristina Campo, en *Gli imperdonabili*, traza con versos y palabras de Gottfried Benn lo que viene a ser un retrato de Juan escribiendo en aquel cuartucho: «Solo; las palabras y tú; y esto es verdaderamente soledad»; y además, «aguantar, sentarse apoyado en la pared, leer a Job y a Jeremías».

Así consiguió Juan transformar aquella situación extrema, con los piojos atormentándole en hábitos que no le permitieron cambiar en nueve meses, y el hedor de sus propios excrementos, dejados durante mucho tiempo, como en todas las cárceles duras, entre una visita del carcelero y la siguiente, en aquel cuartucho hediondo. Una situación que hubiera podido suscitar en él tan sólo las técnicas de la pura supervivencia de que ha hablado Bruno Bettelheim, en *Sobrevivir*, respecto del campo de concentración de Dachau —una situación en la cual los perseguidores mostraron conocer muy bien el miedo, la vileza que puede brotar de la extrema necesidad, y la sumisión que se puede derivar de ello—, se transformó, en cambio, en una ocasión extraordinaria de creatividad: hizo nacer ese don para toda la humanidad que es un texto poético como el *Cántico espiritual.*

De ahí, de esa victoria, debió nacer la fuerza de pensar en huir, de trabajar denodadamente, como el «condenado a muerte» del film de Bresson, para aflojar los hierros del cerrojo.

Tras haberse dejado caer por un murallón de más de diez metros de altura —él, que apenas medía metro y medio— con la ayuda de una cuerda hecha con una manta vieja y pedazos de su túnica, Juan se refugió en el convento de las descalzas; y aquellas prudentes mujeres, pensando que en el estado de desnutrición en que se hallaba no soportaría un alimento demasiado nutritivo, le dieron de comer unas peras asadas con canela.

APOSTILLA VI

La reiterada referencia a la experiencia de Osip Mandel'stam y la utilización de datos existentes en Nadiezhda Mandel'stam, *Contra toda esperanza* (Alianza, Madrid, 1984), no es fortuita, sino que corresponde a la percepción del extraordinario parecido entre las dos situaciones. Realmente, no son pocos los comportamientos del poder descritos en el libro de Nadiezhda que, en quien haya tenido que frecuentar la historia del siglo XVI español en sus vertientes oscuras de procesos, discriminaciones y persecuciones, provocan casi el efecto del *déjà vu*, por lo violento y minucioso que es el parecido. Con todo lo que ello sugiere acerca de las líneas profundas de la historia de la especie humana.

El libro de George Steiner citado es *Presencias reales* (Destino, Barcelona, 1991). El libro de Cristina Campo citado ha sido publicado por Adelphi, Milán, 1987. *Sobrevivir* de Bruno Bettelheim ha sido publicado por Crítica, Barcelona, [2]1983.

VII

EL PARAÍSO DE BEAS

Mapa de los principales viajes de Juan de la Cruz.

Una monja del Carmelo de Beas, Francisca de la Madre de Dios, cuenta que pocos días después de llegar allí Juan, espantosamente flaco tras los nueve meses de secuestro, ella y otra monja, Lucía de San José, se pusieron a cantar una canción que llamaba «traje de enamorados» a las penas de amor; una canción que decía:

> Quien no sabe de penas
> en este valle de dolores,
> no sabe de cosas buenas
> ni ha gustado de amores
> pues penas es el traje de amadores.

Y cuenta que Juan se conmovió hasta tal punto que «le empezaron a caer de los ojos dos hileras de lágrimas que le corrían por el rostro». Un impulso cuyo eco cabe encontrar en lo que escribió Charles Baudelaire en las *Notes nouvelles sur Edgar Allan Poe*:

> Ese instinto admirable, inmortal, de lo Bello es lo que nos hace considerar la Tierra y sus espectáculos como un vislumbre, como una correspondencia con el Cielo. [...] y cuando un poema exquisito hace que las lágrimas nos asomen a los ojos, esas lágrimas no son prueba de un exceso de goce: más bien dan testimonio de la irritada melancolía [...] de una

naturaleza exilada en lo imperfecto que querría apoderarse inmediatamente, en esta Tierra, de un paraíso revelado.

Ya en el momento de su llegada a Beas había tenido Juan un momento de total abandono: se había encerrado en un mutismo absoluto, que en él era indicio —como dar puñadas en la pared para mantener la atención en las cosas exteriores— de un sufrimiento psicológico elaborado y superado en un grado más alto de entrega y creatividad. Allí en Beas, en realidad, Juan tuvo con las monjas y con su priora una relación particularmente intensa; probablemente allí, en Beas, pensó y escribió su otro gran poema, el que empieza «En una noche oscura»; y también allí debió empezar a idear sus grandes obras en prosa. En una palabra: en Beas, adonde volvió regularmente mientras permaneció en Andalucía, debió experimentar un goce paradisiaco, un pequeño paraíso en la tierra.

Además, a las monjas de Beas les escribió en 1587 esa carta que ya hemos tenido ocasión de citar, donde puede leerse:

> [...] es imposible ir aprovechando, sino haciendo y padeciendo virtuosamente, todo envuelto en silencio. [...] el alma que presto advierte en hablar y tratar muy poco advertida está en Dios; porque, cuando lo está, luego con fuerza la tiran de dentro a callar y huir de cualquier conversación; porque más quiere Dios que el alma se goce con Él que con alguna otra criatura.

En Beas Juan de la Cruz estaba muy vinculado afectuosamente también a las legas. Está el delicioso episodio, contado por uno de los primeros biógrafos, de la hermana lega que trabajaba de cocinera en el Carmelo de Beas y que le preguntó a Juan: «Padre, ¿por qué cuando yo salgo a la huerta y me sienten las ranas se escapan enseguida y se ocultan en el fondo del estanque?». Y Juan, con una gracia que parece de un *hayku* de Bashò: «Hija mía, pues porque ése es el lugar y centro donde tienen seguridad». Y añade: «Así ha de hacer, hermana Catalina: huir de las criaturas que la pueden perjudicar, que la pueden hacer daño, y zambullirse en su hondo y centro que es Dios, escondiéndose en él». Y luego, en un postcripto de la carta a todas aparece un mensaje para ella: «a nuestra hermana Catalina, que se esconda y vaya a lo hondo».

En Beas el convento de las descalzas había nacido en un ambiente cruzado por profundas inquietudes espirituales y por vientos de disidencia social y religiosa; de hecho el convento teresiano había nacido de un grupo de beatas encabezadas por Catalina Godínez, una mujer que —según cuenta Teresa en el capítulo XXII del *Libro de las fundaciones*— había rechazado el matrimonio para seguir la vía de las beatas, que incluso «No hacía sino entrarse a un corral y mojarse el rostro y ponerse al sol, para que por parecer mal, la dejasen los casamientos, que todavía la importunaban», y que había insistido mucho —pese a tener cultura y saber leer y escribir— en ser lega y no monja hasta que Teresa, llamada allí por aquellas mujeres para fundar un convento, la convenció de lo contrario.

Las beatas —y aquí sólo cabe hacer una alusión a este fenómeno complejo de la historia de las mujeres— eran mujeres que, pese a aceptar la norma de la virginidad, o sea, la conversión en tabú de su cuerpo cerrado y consagrado por votos públicos, apostaban por la construcción de comunidades fundamentadas a la vez en trabajar para vivir y en el desarrollo libre, en formas no meramente ritualizadas, de la vida interior; se trataba de una tercera vía basada en una línea de autonomía personal y espiritual que no podía dejar de preocupar a los poderes constituidos y que estaba destinada a despertar las sospechas de la Inquisición.

De este tipo de figura femenina nos llegan noticias, en la historia de la cultura española, sobre todo por los procesos: por ejemplo, a través de la figura singular de Isabel de la Cruz, una terciaria franciscana —luego procesada por la Inquisición y condenada a prisión perpetua— que había tenido una escuela para niñas en Guadalajara y se había convertido en el centro de un grupo de disidentes religiosos.

Juan tuvo que vérselas con beatas en Andalucía, tanto en Baeza como en Granada, y las relaciones fueron tempestuosas. Pero de tales relaciones sabemos en realidad bastante poco. Los testimonios insisten sólo en un dato que consideramos obvio en el caso de Juan de la Cruz, esto es, que en su acción espiritual fuera del ámbito conventual se prodigaba con igual atención y entrega hacia personas de condición social humilde, como Teresa de Ybros o la mulata Potenciana. Pero nada más. Incluso las dos cartas a Juana Pedraza, una mujer de Granada que posteriormente vistió el hábito de beata, están llenas de cautelas y advertencias cifradas y construidas más que nunca según la retórica de la reticencia. Estas cartas son más portadoras de rasgos relativos al clima sentimental de aquella relación —«no me faltaba más ahora sino olvidarla», «y si no fuesen tan corticas, sería mejor», etc.— que adecuadas para iluminar el talante espiritual y social de la relación misma. Para tratar de reconstruir aquel clima habría que salir no sólo del recorrido personal de Juan, sino también del ámbito de los descalzos, y situar esas relaciones en el clima complejo y conflictivo de la espiritualidad andaluza, con la estela de la acción en ese ambiente de aquel espiritual disidente, tanto en el plano doctrinal como en el plano social, que fue hasta 1568 el sacerdote secular Juan de Ávila. Habría que estudiar con ánimo liberado de prejuicios lo que queda de los procesos contra aquellos «alumbrados» de Jaén que sólo una sórdida mentalidad confesional puede dar por excluidos de la historia de España únicamente porque la Inquisición les hizo callar. Por lo demás, justamente Juan de Ávila llegó a decir una vez que «los penitenciados por la Inquisición mártires son», y eso lo sabemos por los papeles del proceso que en determinado momento se intentó contra él.

Lo que sí sabemos de cierto es que en Andalucía, en aquellos años ochenta del siglo XVI, se multiplicaban los procesos en las proximidades de Juan de la Cruz. Unos procesos que, bueno es recordarlo, nacían en el clima angustioso de la denuncia secreta, y consiguientemente del terror y de la sospecha. Y ésta podría no ser la última de las razones del profundo sufrimiento psicológico de Juan a que se ha hecho alusión en el capítulo tercero; un sufrimiento que, en alguien tan imperturbable como él, casi se volvió insoportable al prolongarse su cometido en Andalucía —siempre debido a «distracciones» de sus superiores—, una misión que en Baeza, sede de la universidad fundada por Juan de Ávila y por tanto objeto de particular atención por parte del Santo Oficio, debió ser especialmente dura.

Teresa de Jesús ya había sido sometida en los años setenta, en Sevilla, a un procedimiento inquisitorial que nunca desembocó, por razones que ignoramos, en un auténtico proceso (el mismo Juan fue denunciado repetidamente a la Inquisición en aquellos años). Y ciertamente no puede ser casual que Teresa, en el informe-declaración acerca de su itinerario espiritual exigido por un jesuita que era consejero de la Inquisición, al hacer la lista de sus directores espirituales, callara el nombre de Juan, quien había sido notoriamente confesor suyo en Ávila entre 1572 y 1574. En 1576 las descalzas de Sevilla habían sido sometidas a un procedimiento disciplinar interno de la orden —inmediatamente después de que Teresa fuera obligada por una orden taxativa del nuncio apostólico a encerrarse «como en una cárcel» en un convento castellano—; un procedimiento de cuya documentación, por fortuna, disponemos, y en el que una monja, ingenuamente, a las apremiantes preguntas del investigador dijo que «sí, la madre Teresa nos pedía que le habláramos de nuestra vida espiritual en coloquios individuales, pero luego no nos absolvía».

Numerosos, despiadados y hasta ahora muy mal estudiados han sido, justamente en los años que nos interesan, los procesos contra grupos de espirituales andaluces de la Inquisición de Jaén, a dos pasos de Baeza y de Granada. Y el acusador de aquellos procesos —un acusador más estúpido y despiadado que ninguno— fue precisamente Alonso de la Fuente, el mismo dominico que en 1590 —¡cuando aún vivía Juan de la Cruz!— trató de promover un proceso inquisitorial contra la primera edición de las obras completas de Teresa. Una edición al cuidado de aquel gran biblista y filólogo salmantino que fue Luis de León, a quien Juan de la Cruz, si es que no le tuvo de profesor, debió conocer sin duda en sus años universitarios. Los memoriales que el dominico —auténtico sabueso lanzado contra la espiritualidad española de aquellas décadas— mandó a la Inquisición iban encaminados, a tenor de todas las evidencias, a la destrucción de las obras de Teresa. En ellos se decía entre otras cosas que aquellos libros no podían ser de la monja (y se insinuaba que eran obra del propio editor): «Que si en efecto fue la monja, como suena el Título del, es negocio preter natura y cosa enseñada por angel porque excede la capacidad de mujer».

Como es natural, resulta completamente inútil tratar de buscar las huellas de esta situación en las obras de Juan de la Cruz; no sólo porque, como veremos, se trata bastante probablemente de textos sometidos a crueles procesos de manipulación y de censura, sino porque también las obras de Juan de la Cruz —que como se ha visto fue un auténtico resistente, obligado en varias ocasiones a destruir sus cartas e incluso a comérselas— deben leerse con la «hermenéutica de la reticencia» con que se leen todas las obras de los escritores no conformistas europeos de los siglos XVI al XVIII. «Reticencia» en modo alguno significa falsedad o insinceridad, sino sólo, justamente, «reticencia»: el arte de decir sin decir.

La lectura sistemática de una obra como la teresiana, que por suerte se nos ha transmitido en forma casi siempre autógrafa y acompañada de gran número de cartas, permite captar bien lo refinado que entre ellos debía ser el juego entre las cosas que se podían decir en los escritos (y las que en los escritos aludían a las cosas que en los escritos no se podían decir), las cosas que se podían decir en una carta y las cosas que ni siquiera en una carta se podían decir, y que por tanto quedaban reservadas a los inalcanzables coloquios personales.

Los coloquios de Juan de la Cruz con las descalzas de Beas debieron estar llenos de muchas de estas cosas. Pero junto a éstas estaban las cosas que los descalzos habían conquistado la libertad de decirse entre ellos y en los escritos.

Allí, en Beas, Juan de la Cruz estuvo en contacto con un puñado de monjas guiado por Ana de Jesús, la que antes había sido compañera suya en algunas fundaciones importantes de conventos andaluces y lo sería luego en la lucha contra el autoritarismo penitencial y patriarcal en los últimos y dolorosos meses de su vida, la mujer a quien Juan dedicó el comentario al *Cántico espiritual*.

A las monjas de Beas, como más tarde a las de Granada, Juan les fue repartiendo copias del dibujo del «monte de la perfección»: otro indicio —por si lo necesitáramos— de su tendencia a pensar a la vez con palabras y con imágenes.

En Beas debió encontrar Juan un grupo de mujeres ya dispuestas y disponibles para el proceso de vaciamiento metódico de la psique, para aquella disciplinada y metódica destrucción del deseo y de la memoria que permite únicamente acceder a la «fe». Una destrucción de la memoria que corresponde a la crítica radical que realiza Juan de toda forma de propiedad. Destrucción de la memoria que no significa olvido, sino sólo capacidad de no detenerse en recuerdos y deseos ya existentes para abrirse a otros gustos, para hacer surgir realmente la «experiencia», para llegar a percibir elementos interiores que a través de los sentidos no se pueden percibir.

Debió ser muy importante para la felicidad de aquel encuentro de Beas que durante el período de la Encarnación Juan hubiera desarrollado a fondo justamente su reflexión sobre la experiencia, o sea, sobre la forma que es históricamente femenina en las posibilidades cognitivas de los seres humanos. Y por ese camino Juan había llegado a criticar y rechazar esa parte de la tradición religiosa por la cual les correspondía a las mujeres, a las místicas, convertir su propio cuerpo —con los éxtasis y las profecías— en testigo y en lugar de comunicación con lo trascendente. Juan de la Cruz —y con él Teresa, pero Juan con mayor rigor y coherencia— rechazó claramente esas formas exteriores y llamativas. Un ejemplo: en el período de Baeza, mientras estaba diciendo misa, una beata cayó al suelo en un «éxtasis» ruidoso y espectacular; Juan —que sabía bien, como Teresa, que las experiencias de éxtasis son fulmíneas y silenciosas— se volvió al lego que le ayudaba en la misa y le mandó que la echara una jarra de agua a la cara. Más adelante, en Lisboa, donde estaba por asuntos de la dirección de la orden, Juan de la Cruz se negó en redondo a ir a visitar a una monja famosa por sus aparatosos estigmas, con el consiguiente reparto de paños manchados de sangre, y por sus dotes proféticas, manifiestamente apreciadas en las alturas; y dijo que no veía razón alguna para interrumpir lo que estaba haciendo —pasear leyendo a la orilla del mar— para ir a presenciar aquellos «embustes».

Juan de la Cruz les llevaba a las monjas de Beas una propuesta de experiencia interior ciertamente caracterizada por los desposorios simbólicos de la tradición cristiana, pero fundamentada en la más completa interiorización: justamente, la invitación a hacer como la rana. Él no las inducía, como en cambio se arriesgaba a hacer la propuesta teresiana, a buscar o a esperar experiencias extraordinarias, sino a crearse un espacio interior hecho de vacío y de negación, de serenidad y distanciamiento, como el único espacio posible para la experiencia del amor.

Debió encontrar a aquellas mujeres ya familiarizadas, acaso gracias a la línea de Ana de Jesús —la monja castellana discípula de Teresa que era priora allí—, con los temas que él estaba desarrollando incluso en polémica con Teresa. Los temas de la crítica de la soberbia y la lujuria espirituales que tanto espacio ocupan en el libro I de *Noche oscura*, donde habla de quienes «vienen a tener alguna satisfacción de sus obras y de sí mismos» y que les «nace cierta gana, y a veces muy vana, de hablar cosas espirituales delante de otros, y aun a veces de enseñarlas más que de aprenderlas»; o de quienes

> cuando sus maestros espirituales [...] no les aprueban su espíritu y modo de proceder [...] juzgan que no los entienden el espíritu o que ellos no son espirituales [...], y así, luego desean y procuran tratar con otro que cuadre con su gusto, porque ordinariamente desean tratar su espíritu con aquellos que entienden que han de alabar y estimar sus cosas, y huyen como de la muerte de aquellos que se las deshacen para ponerlos en camino seguro, y aun a veces toman ojeriza con ellos.

Durante aquel período que pasó en Beas, y luego durante los meses en que estuvo en el Calvario e iba a Beas todos los fines de semana, Juan de la Cruz debió experimentar una felicidad perfecta. Permítasenos imaginar como completamente felices, y fecundos en reflexión e invención, los recorridos que hacía todos los fines de semana para ir desde el Calvario al convento de las monjas. Pocos kilómetros —dos leguas, casi tres horas de camino—, pero el itinerario no discurría por estepas desoladas y polvorientas como las que había en torno a Duruelo, sino por un jardín natural maravilloso, en el esplendor de la flora mediterránea: higueras y naranjos, ciruelos y cerezos, pinos y enebros; y setas, espárragos, nueces y avellanas, moras y las mil hierbas olorosas, desde el tomillo al romero y el orégano.

Allí, junto a aquellas monjas guiadas por una mujer capaz de «experiencia», debió experimentar lo que quiere decir «saber sin haber aprendido», la situación de quien «no desea el conocimiento sino la unidad», como Lily Briscoe en *Al faro* de Virginia Woolf.

En aquel grupo de carmelitas descalzas, que él siguió frecuentando, yendo a verlas todos los meses tres o cuatro días, desde Baeza, pudo experimentar realmente Juan de la Cruz el valor del camino interior que él proponía: un volverse hacia la propia interioridad permaneciendo inmersos en la triple «noche» constituida por el mismo Dios, que como se lee en el *Éxodo* es «nube tenebrosa»; por la fe, que para el intelecto es oscura como la noche; y por el estado del alma en camino, que debe ser de vacío y de privación. Un volverse hacia la propia interioridad que tiene como fin la transformación, y en primer lugar la transformación de la vida cotidiana, de las relaciones entre las personas.

Debió ser para él, en un grupo pequeño —dieciocho monjas según la regla teresiana—, por eso mismo ya muy distinto de la gran comunidad ruidosa que era el monasterio de la Encarnación, una experiencia muy distinta, más intensa y personal, de la dirección espiritual, acendrada y más oreada por la afectividad que desde el principio Teresa había querido que caracterizara la vida comunitaria que estaba inventando. Y en algunos de los testimonios recogidos entre aquellas carmelitas después de la muerte de Juan de la Cruz quedan huellas de esta experiencia como de una experiencia feliz: «sin quererlo o pretenderlo se hacía respetar de todo el mundo»; «nos hacía apasionarnos tanto por la vida espiritual que te parecía que ya habías hecho la mitad del camino»; «trataba a todos por igual, y ninguna tuvo nunca que quejarse de que favoreciera a una respecto de otra».

Allí debió gozar profundamente de la amistad fiel y sensible de Magdalena del Espíritu Santo, la mujer que nos ha dejado algunos de los testimonios más reveladores acerca del modo de ser de Juan de la Cruz, la joven monja a quien Ana de Jesús encargó que copiara sus escritos y que, como dijo después, fue reuniendo anotaciones de sus conversaciones «para recrearme en leerlas cuando por estar ausente no se le podía tratar». Una *silhouette* femenina apenas dibujada en esta imagen totalmente indirecta, como imagen refleja respecto de la imagen de él, pero ciertamente no dibujada según las líneas de una devoción ciega sino según la línea de una participación inteligente y apasionada.

Cierto es que no conocemos los lados oscuros, los chirridos y las tensiones de esta convivencia. En el caso del perfil personal de Juan, entre otras cosas, no están a nuestra disposición las cartas de Teresa: pues Juan, en uno de sus impulsos de «desasimiento», de distanciamiento, de desposesión, tiró, en un viaje a lomo de mula, una alforja llena de las muchas cartas que Teresa debió mandarle y que él había conservado hasta los tiempos de Baeza. Esas cartas habrían sido preciosas, como lo son las cartas de Teresa a Gracián y a las prioras, porque hubieran podido revelarnos las zonas de sombra de esta vida que estamos investigando: los malos humores y los piques hasta mezquinos de aquella experiencia colectiva. Incluso si hubieran callado —*no es para carta*, no es asunto que se pueda tratar por carta, dice en cierto punto Teresa— acerca de los conflictos con la institución eclesiástica o acerca de las tragedias que también ocurrían en los conventos: depresiones graves, abandonos, castigos y cosas por el estilo. De cosas así sólo pueden hablarnos los documentos de primera mano —cuando se consigue hallarlos—. En el caso de Juan se produjo además la catástrofe final de la destrucción total de sus cartas. De modo que toda esta zona de sombra queda consignada únicamente a la lista, minuciosa pero completamente impersonal, de los comportamientos a negar que encontramos en *Subida del Monte Carmelo*.

Juan había llegado a Beas llevando consigo un montoncillo de versos, algunos «romances» y lo que siempre llamó «las canciones de la Esposa». (Sólo después de su muerte, en 1630, un voluntarioso biógrafo les dio el título, entonces muy de moda, de *Cántico espiritual*.)

Las monjas de Beas copiaron y se aprendieron de memoria aquel texto fascinante —que les llegó como un bálsamo juntamente con la áspera doctrina de la «nada»—, convirtiéndolo así, como ha escrito George Steiner del aprender de memoria la poesía, en «una fuerza activa en el interior de la consciencia», para cantarlo luego en sus recreos.

En resumen: Juan les llevaba a aquellas monjas de Beas una propuesta fundamental para la vida y para el crecimiento de un ser humano: la de aprender a sentirse «nada» y consiguientemente capaces de hacerlo todo. Una vida fundamentada en la negación de lo que se es y en el proyectarse hacia lo que no se es. Una invitación a aprender a no tener miedo, a salir de ese estado infernal en que todo te sale mal porque siempre estás demasiado preocupado por reforzar y por tranquilizar tu yo, pase lo que pase.

Mas Juan también les llevaba, junto a las «canciones de la Esposa», algunos «romances», composiciones de gusto popular, que también se podían aprender de memoria y recitar en los recreos. Como el romance de delicado tema encarnacionista que empieza:

> Entonces llamó a un arcángel
> que Sant Gabriel se decía,
> y envióle a una doncella
> que se llamaba María,
> [etc.]

O bien ese romance que es una variación del salmo 137, que empieza así:

> Encima de las corrientes
> que en Babilonia hallaba,
> allí me senté llorando,
> allí la tierra regaba,
> acordándome de ti,
> ¡oh, Sión!, a quien amaba.

Que es una variación realizada sobre el tema del exilio del alma en esta tierra a través del lenguaje del exilio del pueblo de Israel entre otros pueblos. Una variación realizada en el metro en que se cantaban en aquella época las empresas de los héroes, el dolor de los moros expulsados de su ciudad y las efusiones de amor y de nostalgia. Así la devoción debía mezclarse, en la mente de aquellas monjas, a esa andadura nostálgica y sentimental de las canciones que se cantaban y recitaban en toda España a todas las edades.

En Beas nacieron —no sabemos si en una de sus excursiones desde el Calvario o en uno de los viajes desde Baeza o desde Granada— las últimas cinco estrofas de *Cántico espiritual*.

Las cosas ocurrieron como sigue: un día Juan le preguntó a Francisca de la Madre de Dios, otra de «las de Beas», sobre qué versaba su vida interior en aquel período, y la monja respondió que en el centro de su alma tenía el tema de la belleza de Dios: «En mirar la hermosura de Dios, y holgarse, alegrarse, regocijarse de que la tenga». Y sobre este impulso Juan escribió aquellas espléndidas estrofas finales, la primera de las cuales dice así:

> Gocémonos, Amado,
> y vámonos a ver en tu hermosura
> al monte y al collado,
> do mana el agua pura;
> entremos más adentro en la espesura.

Entraba pues en toda su extensión en el pensamiento de Juan de la Cruz —gracias a esta mediación femenina— el tema de la belleza. Y acaso en aquel momento se cerró el largo recorrido intelectual y espiritual iniciado en la Encarnación de Ávila con la meditación sobre el Crucificado, y luego continuado a través del largo aprendizaje de la «noche».

APOSTILLA VII

Pocos temas como «el paraíso de Beas» o «el purgatorio de Baeza» imponen recurrir simultáneamente —en la reconstrucción de este perfil personal— a instrumentos de historia social y religiosa, de teología y de psicología. Y es así, justamente, por el entrelazamiento propio de los problemas relativos al misticismo como punto de convergencia de experiencias interiores, de intersección entre líneas teológicas y «diferencia sexual», impulsos sociales y soluciones religiosas en el ámbito institucional.

Aquí sólo se mencionan los libros que más directa e inmediatamente han intervenido en la redacción de este capítulo.

«Hermenéutica de la reticencia» es una expresión usada por Giuliano Ferrara en la presentación de la edición italiana de Leo Strauss, *Escritura y persecución* (*Scrittura e persecuzione*, Marsilio, Venecia, 1990).

Al faro de Virginia Woolf ha sido traducido al castellano por Antonio Marichalar (Sudamericana, Buenos Aires, [3]1958); también existe una traducción reciente de Carmen Martín Gaite (Edhasa, Barcelona, 1986).

VIII

LA *NOCHE OSCURA*

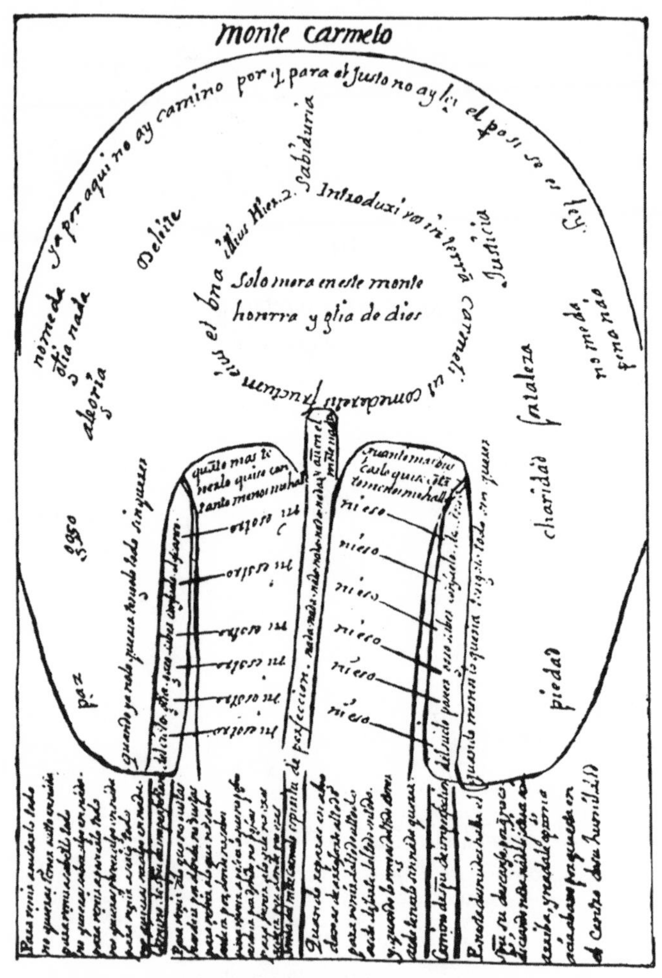

Dibujo del Monte de perfección.

Ningún testimonio nos dice dónde, cuándo, en qué situación y a partir de qué estímulos escribió Juan de la Cruz su otro grandísimo texto poético:

En una noche oscura,
con ansias, en amores inflamada,
¡oh dichosa ventura!,
salí sin ser notada,
estando ya mi casa sosegada;

a escuras y segura
por la secreta escala, disfrazada
¡oh dichosa ventura!,
a escuras y encelada,
estando ya mi casa sosegada;

en la noche dichosa,
en secreto, que nadie me veía
ni yo miraba cosa,
sin otra luz y guía
sino la que en el corazón ardía.

Aquésta me guiaba
más cierto que la luz de mediodía
a donde me esperaba
quien yo bien me sabía,
en parte donde nadie parecía.

¡Oh noche que guiaste!;
¡oh noche amable más que el alborada!
¡oh noche que juntaste
Amado con amada,
amada en el Amado transformada!

En mi pecho florido,
que entero para él solo se guardaba,
allí quedó dormido,
y yo le regalaba,
y el ventalle de cedros aire daba.

El aire del almena
cuando yo sus cabellos esparcía,
con su mano serena
en mi cuello hería,
y todos mis sentidos suspendía.

Quedéme y olvidéme,
el rostro recliné sobre el Amado,
cesó todo y dejéme,
dejando mi cuidado
entre las azucenas olvidado.

Juan había logrado captar en la palabra poética, en un lenguaje delicadamente onírico, la «experiencia»: privación y deseo, negación y búsqueda, destrucción y transformación, regalo y olvido, recurriendo una vez más a la única experiencia humana que se parece a la búsqueda de lo que es totalmente Otro: el amor.

En verdad resulta ridículo pensar —aunque alguien lo ha hecho— que Juan de la Cruz representó aquí una experiencia erótica vivida personalmente. Eso significa negar la sustancia misma de la poesía como discurso que siempre habla de algo «otro», que cuando habla de amor habla de Dios y cuando habla de Dios habla de amor. Ni siquiera tiene sentido afirmar —pero también se ha hecho— que *En una noche oscura* tiene sus raíces en un acontecimiento biográfico, es decir, en la dolorosa experiencia del encarcelamiento en Toledo. Eso significa reducir el significado de la «noche», como experiencia espiritual compleja, a la experiencia inmediata del dolor y de la desgracia.

Por lo demás, el propio Juan ha dicho muy bien —en ese texto suyo fundamental que es el prólogo de *Cántico espiritual*— que el recurso a los símbolos —las «figuras, comparaciones y semejanzas»— nacía de la consciencia profunda, total, de lo indecible de la experiencia, de la experiencia de un Dios tenebroso e incognoscible.

(Con este recurso a símbolos abiertos, «llenos de nada», como son los suyos, y con la consciencia que mostró de su hacer poético, Juan de la Cruz abría realmente el camino a la consciencia moderna de la poesía. Por eso Eliot y Valéry se reconocieron en él.)

Si hay que relacionar con una experiencia vital la génesis de los principales textos poéticos de Juan de la Cruz, esa experiencia es la del período de Salamanca. Allí, en lo que atañe a *Cántico*, tuvo realmente muchas ocasiones de meditar sobre la historia, el significado y hasta los problemas lingüísticos —entre texto hebreo y traducción latina de la *Vulgata*— de ese centro neurálgico de la Biblia que es el *Cantar de los Cantares*. Y en el debate teológico de Salamanca Juan debió tener ocasión de conocer y de adoptar la línea teológica y espiritual representada por el Pseudo Dionisio, por el misterioso librito del siglo V después de Cristo —luego atribuido a «san Dionisio»— que constituye la raíz de la teología negativa, de la concepción de la fe como tiniebla, como oscuridad que genera luz; una concepción que había emergido una y otra vez en el curso de los siglos y que se había presentado con particular intensidad a partir del siglo XV, en la tradición de la *Devotio moderna* y de los místicos renanoflamencos que sin duda Juan tuvo ocasión de conocer.

No es por tanto casual que entre las poquísimas citas de autores que hay en las obras de Juan figure una relativa a «san Dionisio». En el libro II de *Subida del Monte Carmelo* puede leerse lo siguiente:

> la contemplación por la cual el entendimiento tiene más alta noticia de Dios llaman *Teología Mística*, que quiere decir sabiduría de Dios secreta, porque es secreta al mismo entendimiento que la recibe; y por eso la llama san Dionisio *rayo de tiniebla*.

Juan hizo suya la noción de fe que está en el centro de la teología negativa: esto es, no una «fe» como adhesión a contenidos temáticos construidos a partir de la analogía entre Dios y el mundo y entre Dios y el hombre —como en la teología positiva de la tradición escolástica—, sino una «fe» en la que no se puede decir nada de Dios, ni siquiera que existe. Una «fe» como itinerario a través de la «experiencia» hacia lo Incognoscible:

> Entréme donde no supe [...]
> [...] toda ciencia trascendiendo

dice una densa e importante copla de Juan de la Cruz.

Una fe como «noche», como preludio al amor, como experiencia que por tanto coincide con una purificación radical: con la purificación del más mínimo resto de todo vínculo, con la purificación de toda ocultación y de todo enmascaramiento de la realidad, incluyendo la ocultación y el enmascaramiento de la revelación de lo divino que puede ser la religión misma. Un proceso de purificación radical cuyo equivalente lo pueden constituir, como ha escrito agudamente Simone Weil leyendo con ojos modernos este símbolo de Juan de la Cruz, «el ateísmo y la incredulidad».

Parece que puede afirmarse que Juan se situó en la frontera entre una teología negativa circunscrita, una teología del «punto oscuro» en medio de las claridades de la tesis positiva —«un punto solo m'è maggior letargo», dice Dante en *Paradiso*, XXXIII—, y una teología de la atenuación de la idea de Dios que, como escribe Paolo Valesio, «en el momento en que empieza a sugerir que Dios no se encuentra en ninguna parte, en ese momento mismo pone las bases de su omnipresencia». Sería éste, en suma, el lado espiritual, teológico, de la grandeza moderna de su poesía.

Era una opción arriesgada; una opción que tal vez se le imponía como la única posible a quien, como Juan de la Cruz, había experimentado el hundimiento de las creencias medievales en un plano intelectual doble. El primero era el de la ruptura de la «armonía» medieval, en una sociedad sacudida y golpeada por el proceso de inflación derivado del capitalismo naciente y salvaje, una de cuyas manifestaciones crueles y desesperadas a la vez era la empresa americana. Aquel proceso implacable y salvaje —salvaje por ser objetivo— por el cual el débil sucumbe y el fuerte prospera, en el que quien ya tenía dinero estaba destinado, si sabía manejarse, a tener cada vez más, mientras que quienes, como su hermano y su madre, poseían sólo la fuerza de sus brazos se fatigaban terriblemente —al ritmo de catorce horas de trabajo diarias— para hacerse con el dinero suficiente para comprar los bienes de primera necesidad, cuyos precios, entre tanto, se habían puesto por las nubes. Pero además Juan de la Cruz había experimentado el hundimiento de las creencias medievales, a un nivel mucho más rico que Teresa, mujer «sin letras», al advertir en el plano doctrinal y teológico el hundimiento del paralelismo entre Dios y el mundo, en la época en que tal paralelismo, dominante hasta entonces, recibía golpes decisivos. El viaje de Colón, con el «descubrimiento» de un mundo nuevo a Occidente, había puesto en cuestión el contenido de verdad del *Génesis*; Copérnico —y Juan era bien consciente de ello— había destronado la Tierra, lanzándola al espacio, volviéndola igual que los demás cuerpos opacos. Los viejos saberes organizados, en resumen, se hallaban en una crisis que Juan bien debía intuir como definitiva. De modo que tanto él como Teresa, pero él con mayor consciencia histórica y teórica por comparación a ella, se movieron en una dirección atrevidamente «experimental»; una dirección distinta de la que más o menos en los mismos años emprendían Descartes o Galileo, pero no opuesta a ella. Posteriormente Pascal trató de interpretar el vivificador contraste entre estas dos líneas diversas de desarrollo del mundo moderno. Pues, a fin de cuenta, la línea de investigación de Juan de la Cruz es más importante y más moderna, por ejemplo, que la de Bruno, orientada a construir o descubrir una *scientia scientiarum* más allá de todas las religiones y de todas las filosofías, en una ribera necesariamente más ideológica y menos experimental, abierta no por azar a las aguas del hermetismo y del ocultismo que a Juan, en cambio, siempre le fueron extrañas. Una línea, la de Juan, más próxima en cambio —aunque a primera vista parezca paradójico— a la línea enteramente experimental iniciada por Galileo.

De modo que el texto poético de la «noche oscura», y los dos libros de comentario en prosa de este texto poético, comentario escrito por Juan entre Beas y Granada —el díptico formado por *Subida* y *Noche oscura*—, muy bien puede ser visto como uno de los frutos de aquella «alta turbulencia de la imaginación» de la que nacieron las obras de Shakespeare y de Cervantes.

El recurso a la «noche» como símbolo de un itinerario espiritual no lo inventó Juan de la Cruz —estaba ya en la Biblia—, pero él lo desarrolló y lo elaboró a partir de su sentido primario de espacio y de tiempo «falto del bullicio de la palabra y del apoyo de los sentidos» hasta transformarlo, de un modo del todo original, en un instrumento capaz de explorar el campo de la negatividad entero: «Ni esto ni aquello ni lo otro», como se lee en el dibujillo del «monte de perfección». Hasta los estadios en que la «contemplación oscura», la presión terrible del infinito sobre el alma, lleva a una situación extrema de pena y de sufrimiento, donde ya no hay certidumbre alguna, en una oscuridad interior donde no cabe ninguna orientación.

Ciertamente, a lo largo de todo el curso de su vida fue elaborando ese símbolo, cuando junto con las mujeres de la Encarnación empezó a deletrear el discurso de la negación, la disponibilidad para dejar crecer dentro de sí la capacidad de decir «no» a los objetos de la experiencia sensorial, para descubrir la extrema libertad y creatividad que se conquista cuando se vuelve uno capaz de negarse cualquier cosa a sí mismo, no por un ascetismo mortificante sino para acrecer en sí la capacidad de ir «a través de lo que no se es hacia lo que no se es».

Había ido desarrollando ese discurso de la «noche» en todo el trabajo sobre la memoria y sobre las demás formas inquietantes del yo —sobre la destrucción de la memoria hasta hacer del «olvido la patria de la consciencia»—, y sobre la negación de los consuelos de la religión a través de una crítica de las formas de la superstición, que Juan retoma en *Noche oscura* (I, 3, 1) cuando alude sarcásticamente a quienes van «arreados de *Agnusdeis* y reliquias y nóminas, como los niños de dijes»; la crítica que Juan de la Cruz, como ya hemos tenido ocasión de ver, desarrolla en *Subida del Monte Carmelo*. Hasta que se sintió capaz de explorar, en el libro II de *Noche oscura* —utilizamos esta división en libros y capítulos aunque hay que recordar siempre que Juan escribió *Noche oscura* como un texto continuo—, los estados de angustia total, donde pierde sentido todo. Culmina ahí, en la descripción de estados que son fruto de la acción de Dios pero también signos de su ausencia, estados que se reciben y que se deben aceptar si se quiere descubrir el amor, esta etapa fundamental del pensamiento de Juan. Que esos «estados de contemplación oscura» se representen por medio de comparaciones tomadas de las formas de la tortura —la cuerda, la celda, el fuego— infligida por unos hombres a otros constituye una de las paradojas de este libro extremado.

> de manera que si a uno suspendiesen o detuviesen el aire que no respirase (*Noche oscura* II, 6, 5)

> como el que tienen aprisionado en una oscura mazmorra atado de pies y manos (*Noche oscura* II, 7, 3).

Luego Juan fue haciendo, con las monjas primero en la Encarnación y luego en Beas, y con los monjes primero del Calvario y luego de Granada, el diagnóstico diferencial de esos estados extremos entre la «contemplación oscura» y la «melancolía» —ese mal al que hoy damos el feo nombre de «depresión», y que entonces hacía estragos en los conventos como los hace hoy en nuestras casas—, como cuando en *Noche oscura* (I, 9, 4) dice con mucha agudeza que mientras que la «melancolía» produce un «estrago en el natural» de la persona, «purgándola de todo arrimo, consuelo y aprehensión natural acerca de todo lo de arriba y de abajo», la experiencia de la «contemplación oscura», por horrible y tempestuosa que pueda ser, potencia la capacidad proyectiva como núcleo del crecimiento y del equilibrio de una persona, y alimenta y hace posible la apertura pasiva a la relación amorosa con Él.

La concentración, el éxtasis, la noche: todos ellos eran caminos para hallar la «nube tenebrosa», caminos hacia el encuentro con el Amado que es Dios; y también se le podía buscar a través de las aguas de la implicación del cuerpo: volviendo capaz al cuerpo, mediante la ascesis, de sostener la experiencia interior. (Y que en el camino se pudiese pasar por experiencias orgásmicas —los «movimientos naturales»— es cosa que Juan, como Teresa, sabía muy bien, considerándolos aspectos secundarios y faltos de interés.)

Eso significaba experimentar junto con las monjas y los monjes lo que Virginia Woolf escribió de la señora Ramsay en *Al faro* —en un pasaje que no por azar concluye con la frase «[...] y una esposa fue al encuentro del amado»—: «Cuando la vida se abisma por un solo instante el espectro de la experiencia parece perder sus límites».

APOSTILLA VIII

El tema de la «noche oscura» concita aspectos filosóficos y teológicos —y de historia de la filosofía y de la teología— por representar un desarrollo radical y original de la «teología negativa», que se remonta a la obra de Dionisio, y por representar un momento de la historia de la categoría de negación, con las correspondientes proyecciones hacia la filosofía moderna.

Pero nos ha parecido más útil —en un perfil personal como pretende ser este libro— reconducir la «noche oscura» a sus implicaciones «espirituales», con sus inevitables conexiones con el psicoanálisis y el lenguaje, y las correspondientes conexiones inmediatas con la literatura.

En el primero de estos dos planos, el de la «noche oscura» como experiencia —como experiencia espiritual que pasa por la negación de todo sentido—, aparece como realmente esclarecedor el libro de Wilfred R. Bion, *Attention and Interpretation. A scientific Approach to Insight in Psychoanalysis and Groups* (Tavistock Publications, Londres, 1970), por trazar Bion un recorrido para la «cura» analítica basado, por un lado, sobre todo para el analista, en el «cegamiento» y la «privación» de que ya había hablado Freud —momentos que tienen su correspondencia en *Subida del Monte Carmelo*—, y ser al mismo tiempo un recorrido fundamentado en la «fe» como adhesión a la «cosa en sí». (Por una carta a Marion

Milner citada por ésta en *The Suppressed Madness of Sane Men* [Institute of Psychoanalysis, Londres, 1987] se sabe que de hecho Bion leyó a Juan de la Cruz, aunque en esa carta lamentaba la mala calidad de la traducción.)

En el segundo de los planos mencionados —el que pone en estrecha relación escritura y «experiencia», como también se hace en el capítulo IX—, es de extraordinaria utilidad el ensayo de Paolo Valesio, «O entenebrata luce ch'en me luce», en *La letteratura del silenzio* (Rispostes, Salerno, 1992).

En lo que respecta al uso empleado aquí de las comillas para la palabra «fe» vale, como para el uso de comillas en general, lo que dice Giorgio Agamben en *Idea della prosa* (Feltrinelli, Milán, 1985, libro del que se han tomado además otras sugerencias e incluso expresiones), esto es, que las comillas indican que «determinado término se ha desviado (citado, sacado de) lo habitual, pero no ha sido cortado por completo de su tradición semántica».

Un análisis muy técnico pero esclarecedor del texto poético puede encontrarse en Aldo Ruffinatto, «Semiótica de las formas», en *Sobre textos y mundos (Ensayos de filología y semiótica hispánicas)* (Universidad de Murcia, 1989).

Los *Cahiers* de Simone Weil contienen numerosas referencias a Juan de la Cruz [*Cuadernos*, Trotta, Madrid, 2001].

Para la crítica del moderno término «depresión», véase William Styron, *Esa visible oscuridad* (Mondadori, Barcelona, 1991).

Un lector importante de la poesía de Juan de la Cruz es José Angel Valente, en una serie de ensayos que va desde «La hermenéutica y la cortedad del decir», en *Las palabras de la tribu*, de 1971, y *La piedra y el centro*, de 1982, hasta el prólogo que con el título «Noticia incierta» abre la edición facsímil del manuscrito de Jaén del *Cántico espiritual*, edición publicada por la Junta de Andalucía en 1991. Este perfil personal de Juan de la Cruz le debe no pocos estímulos a estos ensayos de Valente.

En diciembre de 1992 tuvieron lugar en Granada, como clausura de la conmemoración del IV Centenario de la muerte, unos hermosos *Encuentros* sobre san Juan de la Cruz; hermosos por interdisciplinares, y porque su estructuración permitió una confrontación auténtica y profunda de puntos de vista y enfoques diferentes. Las *Actas*, que incluyen textos de filósofos, sociólogos y teólogos, acaban de ser publicadas bajo el título *Hermenéutica y mística: San Juan de la Cruz* (Tecnos, Madrid, 1995).

IX

EN GRANADA HABLA LA VOZ

Vista de la colina de Los Mártires.

Magdalena del Espíritu Santo cuenta que siendo Juan prior del convento de los Mártires de Granada, «cuando tenía un poco de tiempo libre o escribía o pedía la llave y se iba a la huerta a arrancar las malas hierbas». (Y no sorprende nada descubrir que «arrancar las malas hierbas» es una metáfora que usa el Zen para la operación del «vaciamiento», del abandono de toda idea previa y de todo prejuicio, de todo deseo y de todo recuerdo.)

Una vez más, Juan compartía así una experiencia femenina: la práctica y el gusto por el pequeño trabajo manual cotidiano, y a la vez la consciencia de que justamente durante ese trabajo manual menudo es posible tener —cuando se está disponible y se ha preparado uno para recibirlas— grandes iluminaciones espirituales, importantes impulsos de lenguaje. Que además es lo que pretendía señalar Teresa de Jesús cuando escribió que «también entre los pucheros anda el Señor». Algo parecido, en suma, a lo dicho por Heráclito en cierta ocasión en que sus amigos le sorprendieron en la cocina: «También aquí están los dioses».

Una Granada llena de intensos recuerdos del dominio musulmán. Una Granada donde, en la calle de Elvira, que rodea el Albaicín, el barrio morisco, la calle donde estaba el convento de las descalzas, vivía también una santona morisca a quien en aquellos años visitó el Mancebo de Arévalo, un intelectual y escritor criptomusulmán. El convento de los descalzos, hoy desgraciadamente derribado, estaba situado en la colina de los Mártires, desde donde se disfruta de una vista magnífica de la Alhambra y de Sierra Nevada, azul en verano y blanca en invierno. Allí, en Granada, Juan había elegido para sí una celda pequeña y desnuda, pero con vistas al jardín, con una ventana a la que pasaba asomado muchas horas tanto de día como de noche. (Una celda con vistas al jardín como la que para sí escogió Teresa en su confinamiento de Toledo para escribir el *Castillo interior*.)

Allí tuvo Juan de la Cruz la relación más intensa que le conocemos con una persona de sexo masculino: Juan Evangelista, que fue su secretario, confidente y amigo; y allí llegó a ese punto álgido de su proceso de evolución personal por el que se es capaz de hacer cosas bastante distintas a la vez: gobernar el mundo exterior —y Juan logró hacerlo con mano maestra a la par que suave— y escuchar al mismo tiempo la Voz de la escritura que habla en el interior de la mente y que produce hechos de lenguaje.

Juan de la Cruz había opuesto siempre gran resistencia a predicar. Los testimonios son concordes al decir que no le gustaba y que casi nunca lo hacía; las únicas noticias que tenemos de prédicas suyas se refieren a la primera fase de su vida carmelitana, la fase de Duruelo.

En esta resistencia a predicar, a la que se suma la resistencia a dar clases y a profesar cursos que manifestó cuando fue rector del colegio universitario de Baeza, podían entrar muchos componentes: por ejemplo, un enorme pudor a exhibirse y a representar un papel en lo que nunca deja de ser un espectáculo —pese a que Juan se afane en escribir en *Subida del Monte Carmelo* (III, 45), no sin una punta de humor, que este ejercicio «más es espiritual que vocal»—. Es decir: podía tratarse de la resistencia a producirse en público en la predicación, con todo lo que inevitablemente la acompaña, esto es, «alta la doctrina [...], esmerada la retórica y subido el estilo», como dice Juan en el mismo capítulo, «que sólo sirven para deleitar el oído como una música concertada o sonido de campanas; mas el espíritu, como digo, no sale de sus quicios más que antes».

Para interpretar esta resistencia —como para el sentarse en el suelo en el salón de doña Ana del Mercado y Peñalosa— tampoco aquí sirve de nada la categoría genérica de «la humildad», que vale para pintar una estampita pero no para reconocer a una persona. La renuencia a predicar podía deberse también a la resistencia característica de todos los creadores a convertirse en respetables, a aceptar lo que siempre trata de hacer con ellos cualquier institución: reducir a estas personas a su propio modelo y desactivar así la carga explosiva, peligrosa para la institución misma, que puede entreverse en ellas. Y también podía entrar en esa renuencia su oposición radical al uso del saber como poder sobre los demás.

El punto máximo de esta resistencia en la trayectoria personal de Juan de la Cruz se pone de manifiesto, a nuestro modo de ver, cuando se negó a dar clases al ser nombrado rector del colegio de los descalzos de la universidad de Baeza. La negativa a ser miembro del claustro de la universidad es tal vez el punto límite de este intento suyo de mantenerse al margen, de conservar para sí la libertad del «silencio».

Aquella estancia suya en Baeza debió ser justamente un «purgatorio», como lugar de sufrimiento pero también de esperanza de liberación; un sufrimiento que en las biografías corrientes se interpreta siempre como consecuencia del alejamiento de los suyos y de Castilla. Y nadie parece tomar en consideración la carga que tuvo que significar para Juan de la Cruz —que había huido de Salamanca y de los jesuitas, junto con aquella «mujer de su vida» que fue Teresa— hallarse desde el principio en contacto con el ritualismo y el formalismo de la enseñanza académica. Y percibir la inutilidad de muchos de los saberes impartidos allí por los maestros y cultivados por los discípulos. «Inútiles», por ejemplo, en relación a la teología negativa que él había aprendido en las páginas del Pseudo Dionisio, o en relación a los vislumbres de un saber nuevo que podían relampaguear ante él por noticias acerca de las teorías de Copérnico.

Nadie parece pensar en lo mucho que debió costarle volverse a topar con el espectáculo de la ostentación de los títulos y las dignidades académicas. Un espectáculo al que como callado estudiante había asistido en Salamanca.

Aquella fantasmal magnificación del propio yo en el ánimo de tantos —que era, como en el caso de las riquezas, agigantarse con algo falso— podía producir angustias y luchas sin fin: la propia Teresa se había quedado pasmada ante las ansias de Domingo Báñez por la cátedra, y de su consternación y su rechazo dejó huella impercedera en la Tercera Morada de su *Castillo interior*.

Juan debía saber muy bien, al rehusar todo encargo académico en la universidad —él, que había tenido ocasión de observar ese mundo en su punto más elevado, es decir, en aquella Salamanca en la que enseñaban los mejores lingüistas y teólogos de su época—, que la aparente concordia en buscar y ostentar las dignidades académicas por parte de los miembros del «claustro», o del consejo de la facultad, era en realidad fruto de luchas, coacciones, transacciones y contubernios. Y debía haberse dado buena cuenta de que justamente ese juego de transacciones permitía al sistema académico fagocitar lo que podía ser realmente distinto y nuevo.

Por eso Juan, si quería defender el sentido de su investigación sobre la nada y sobre la «noche», no podía hacer otra cosa que negarse a exorcizar esa investigación; negarse a que quedara englobada en una lógica encaminada justamente a eliminar las formas de pensamiento que amenazaran su estabilidad. Había asistido al choque entre los grandes biblistas y la institución, y los había visto acabar en la cárcel de la Inquisición por acusaciones y denuncias procedentes del mundo universitario. Y también había visto a fray Luis de León volver a insertarse en ese mundo, según la dialéctica entre crítica y aceptación, entre afrontar el riesgo de las ideas y aceptar someterse al ritual, que caracteriza —como recordaba Rafael Sánchez Ferlosio en el discurso pronunciado el 6 de abril de 1992 con ocasión de su doctorado *honoris causa* por la universidad de Roma— la vicisitud del mandarín en la emblemática historia china.

En Baeza debió quedar remachado el rechazo de Juan a aceptar cualquier reconocimiento exterior, como el que quería darle doña Ana de Mercado en su casa. Debió reafirmarse en él, con la negativa a convertirse en profesor universitario, su opción en favor de la cultura espiritual que podía compartir con las mujeres: con Ana de Jesús, que no tenía educación universitaria ninguna, pero sí práctica de la teología mística, «que se sabe por amor», y donde las verdades divinas «no solamente se saben mas juntamente se gustan».

De ahí debió nacer —de ese rechazo suyo— la opción profunda por ir más allá del límite angosto que reconoce y conserva el ritualismo académico; la decisión de ir más allá del límite, hacia un saber constituido como «no saber», con su entrega a la escritura como a una potencia transindividual. Y es fácil imaginarle en Baeza, en los días y las noches que les robaba a sus tareas de director del colegio de los descalzos, cuando se iba a la finca que poseía el convento, entregado por completo ya a la contemplación de la noche, ya a la escucha de la Voz.

En cambio Juan de la Cruz aceptó cargos de prior, primero en el diminuto convento del Calvario pero luego también en conventos grandes e importantes como los de Granada y Segovia, al igual que fue aceptando, en el curso de los años ochenta de aquel siglo XVI, cargos dirigentes en la orden. Ciertamente, no se le podía escapar que cuando un grupo o una institución promueve a un individuo a una posición de gobierno trata de desviar, más o menos conscientemente, las energías de esa persona de la tarea creadora y destructiva a la vez de la búsqueda de su propia verdad profunda, para canalizar tales energías hacia las lógicas y las disputas de la institución. Pero en él prevaleció seguramente el sentido de la responsabilidad para con la nueva forma comunitaria inventada por él y por Teresa como imagen de un «mundo distinto».

Hay que preguntarse, si acaso, qué resistencias y dificultades encontró en las comunidades masculinas, menos preparadas esencial y estructuralmente, en comparación con las femeninas, para ser «de otro mundo», él, que llegaba a esas comunidades con una crítica radical del saber como poder y con una propuesta de negación y de pasividad.

Juan de la Cruz mostró gran preferencia —además de la que tenía, como hemos visto, por los encuentros individuales— por la práctica de las reuniones capitulares o las conversaciones durante los recreos de los conventos de hombres, o en el locutorio de las descalzas. Unas reuniones que casi tomaban la forma de un seminario —como eco tal vez de costumbres universitarias— si se considera, como cuenta un fraile, que Juan abría aquellos encuentros diciendo: «¿Quién pregunta una pregunta?», y luego a veces él mismo rompía el hielo planteando una cuestión para desarrollarla. En lo que atañe a las monjas, Magdalena del Espíritu Santo cuenta lo siguiente:

> Para enfervorizarnos y para enseñarnos la vida espiritual y el recto ejercicio de las virtudes, hacía algunas preguntas a las religiosas, y sobre la base de las respuestas hablaba de un modo que a nosotras nos parecía tiempo bien empleado, y nos quedaban muchas enseñanzas de él, porque sus palabras estaban bañadas por la luz del cielo.

Ponerse a escribir significó también para Juan de la Cruz, por tanto, reordenar sistemáticamente los apuntes de aquellas reuniones; pero en sus obras no hay nada que sea estrechamente didáctico. Su perspectiva y su punto de referencia se sitúan, evidentemente, en la gran literatura espiritual del siglo XVI: incluso con el título de *Subida del Monte Carmelo* —y con el esquema ligado al título— Juan retoma, por ejemplo, la *Subida al Monte Sión* del franciscano Bernardino de Laredo. Y el título *Noche oscura* apunta a un espacio y un tiempo para la experiencia interior, al igual que *Castillo interior*, el principal libro teresiano.

A diferencia de Teresa de Jesús, al ser varón Juan no necesitaba justificar por una ficticia «obediencia», por una «orden» o un «permiso» de escribir, su decisión de dedicarse a la escritura; tampoco sintió la necesidad, como todas las mujeres hasta hoy, desde Teresa a Katherine Mansfield, de justificarse interiormente por el «tiempo» dedicado a escribir y sustraído así a las ocupaciones consideradas socialmente aceptables para una mujer. Pero tampoco compaginar sus deberes y sus tareas de prior con el exigente reclamo de la escritura fue fácil para él. Sin embargo, nunca podríamos esperar en Juan la frase enteramente directa y personal que encontramos en el capítulo XIV del *Libro de la vida* teresiano:

> Ayúdame poco el poco tiempo que tengo [...] y ansí es muy sin tener asiento lo que escrivo, sino a pocos a pocos; y esto quisiérale, porque cuando el Señor da espíritu, pónese con facilidad y mijor. Parece como quien tiene un dechado delante, que está sacando aquel labor.

Pero se pueden leer como absolutamente auténticas las frases con que Juan, al escribir a amigos de confianza tras el capítulo de 1591 que le excluyó de todos los cargos dirigentes, se alegra de que le quitaran de aquellos cargos de gobierno que desde 1578 habían pesado sobre él.

Podemos afirmar con certidumbre suficiente que al ponerse a escribir obras amplias y sistemáticas —obras caracterizadas por el paso de las formas inmediatas y absolutas de la poesía a las formas mediatas y discursivas de la prosa, al comentario de su propio discurso poético que son los cuatro grandes libros en prosa escritos en muy rápida sucesión en los años de Granada— Juan de la Cruz pensaba en publicarlas. Y creemos que excluir esta hipótesis encaja con la voluntad más o menos consciente de mantenerle encerrado en la mortificante estampita que le cosieron encima.

En apoyo de la idea de que Juan pensaba en la publicación está el saber con certeza que Teresa de Jesús pensó en publicar *Camino de perfección* aceptando para ello una censura tras otra; incluso trabajó en esta obra durante años e intrigó con amigos poderosos para encontrar editor (aunque el libro sólo vio la luz después de su muerte). Acaso Juan no hubiera podido seguir el mismo camino, pero ciertamente no le era ajena la idea de dirigirse a lectores que no fueran los «hermanos e hijas» del Carmelo: así se infiere precisamente del denso prólogo de *Subida del Monte Carmelo*, donde se dice que el libro está dirigido «principalmente» a ellos. (Por lo demás, sólo si se piensa que este libro se dirige a un público más amplio que el de los conventos se comprende uno de los pasajes más significativos de la crítica radical de los aspectos superficiales y supersticiosos de lo «religioso» que Juan, como hemos visto, realiza en este libro: el pasaje de III, 36 en que Juan se declara partidario del peregrinar individual y contrario a las romerías colectivas, de las que —escribe— quienes van «vuelven más distraídos que fueron». Tampoco se comprendería sin una perspectiva de «publicación» —a fin de cuentas, tiene poca o ninguna importancia que fuera por medio de la imprenta o haciendo circular copias manuscritas— que Juan procediera a reunir en un códice autógrafo, entre 1578 y 1580, los *Dichos de luz y amor*; y sólo con vistas a la publicación cobra sentido la puntillosa corrección de los errores del copista que hizo Juan de su puño y letra en el manuscrito de *Cántico* de Sanlúcar de Barrameda. Y estamos además, en una palabra, ante libros que revelan el tesón y la gran consciencia del escritor auténtico.)

La escritura poética había sido un «éxtasis», un salirse de la consciencia, un ir más allá de ella, donde el alma hablaba «informada del fervor de amor de Dios», y producía en tal estado los «dichos de amor en inteligencia mística» (se trata de expresiones del prólogo de *Cántico*). Había sido hacer una «experiencia» con la palabra misma. Sabiendo siempre, como Jacopone de Todi, como Dante, como tantísimos otros poetas, que no es posible decir ese fervor:

> ¿quién podrá escribir lo que a las almas amorosas (donde él mora) hace entender?, y ¿quién podrá manifestar con palabras lo que las hace sentir?, y ¿quién finalmente lo que las hace desear?

Y en el espléndido prólogo a *Subida del Monte Carmelo*:

> ni basta ciencia humana para lo saber entender ni experiencia para lo saber decir; porque sólo el que por ello pasa lo sabrá sentir, mas no decir.

En estos libros en prosa Juan de la Cruz da un paso más: se mide con la indecibilidad y la intraductibilidad de la palabra poética:

> sería ignorancia pensar que los dichos de amor en inteligencia mística con alguna manera de palabras se puedan bien explicar.

Porque, como ha escrito un poeta español contemporáneo, «la poesía opera sobre el inmenso campo de la realidad experimentada pero no conocida», y la poesía misma es, como sugiere el propio Juan, el único modo de conocerla.

De modo que es verdaderamente lícito pensar que él escribió también esos comentarios en ese «estado de escritura» de que habla Flaubert, en ese estado de escucha y espera del que hablan escritores como Teresa de Jesús o como Franz Kafka.

Precisamente por haber sido escritas en ese «estado de escritura», de suspensión de la vida (y por tanto también de la muerte), esas obras suyas, pese a tener el carácter externo de una exposición sistemática, están vivificadas, como hemos podido comprobar al citarlas siguiendo el perfil personal de su autor, por la irrupción —como ocurre en los cantos más abstrusos de la *Comedia* dantesca— de lo vivido, de la vivacidad de lo cotidiano que de improviso agarra por el cuello al lector, en medio de arduos y a veces realmente abstrusos distingos escolásticos, como un premio o como una sorpresa. Estos libros en prosa de Juan de la Cruz, en suma, son un ejemplo de ese tipo de escritura en el que, como ha escrito Northrop Frye, «el interés por lo trascendente está anclado en el fondo de una implicación humana».

Así llegaron, primero, *Subida del Monte Carmelo* y *Noche oscura*, donde Juan, en realidad, sólo comenta la primera estrofa de *En una noche escura*; y después, en un movimiento a la vez de vuelta atrás y de impulso hacia adelante, hacia los temas del amor y del lenguaje, el comentario al *Cántico* y el comentario al gran texto poético de Juan escrito en fecha incierta, pero seguramente posterior a 1580, *Llama de amor viva*. Libros dedicados a dos mujeres; y no seguramente, como se ha dicho, porque ellas se lo hubieran pedido, sino por coherencia con una tradición del siglo XVI y sobre todo por coherencia con el modo y con la situación en que esos libros habían nacido.

Lo cierto es que para aquellas mujeres debía ser realmente fascinante escuchar a alguien que no sólo les había propuesto en *Subida* un ascetismo no basado en la pura y simple supresión de los objetos de la experiencia, sino en la eliminación del «gusto» que liga el alma a las cosas (*Subida*, I, 3, 1), sino que además, con *Cántico* y *Llama*, las llevaba a salir de las tinieblas —¿o acaso eran ellas las que le llevaban a él?— en el terreno del amor como único medio para volverse semejantes a Dios, «la amada en el Amado transformada». Y ello en el terreno privilegiado y esencial del lenguaje, del «cómo» decir la «experiencia», el terreno del trabajo del lenguaje sobre el lenguaje.

Este movimiento del alma había tomado cuerpo en el *Cántico espiritual* a través del símbolo esponsal procedente de las raíces más profundas de la tradición judeo-cristiana: de un texto ligado al antiguo mito del pacto entre un Dios padre y un pueblo de Israel al que ese pacto convierte en femenino. Esto es: había tomado cuerpo en un lenguaje marcado enteramente por la «diferencia» sexual, tal como ésta se había instalado en el corazón mismo de esas dos grandes religiones monoteístas, pero que se había ido abriendo, en el curso del *Cántico espiritual* —a través del delicado tema trinitario—, a un extraordinario panorama de «criaturas», todas ellas contempladas por la Esposa como las que, con su belleza, le traen noticia de él. Juan las conducía —y se conducía a sí mismo— por el camino de «las ínsulas extrañas», las islas maravillosas y desconocidas de las que, en el comentario a la estrofa 13, escribe:

> Las ínsulas extrañas están ceñidas con la mar y allende los mares [...] y así, en ellas se crían y nacen cosas muy diferentes de las de por acá [...] que hacen grande novedad y admiración a quien las ve.

Si se sube siguiendo las suaves pendientes del jardín del convento de los descalzos de Segovia —la «Huerta de San Juan», el jardín comprado y diseñado por Juan en Segovia—; si se sube hasta la capillita situada en la cima y se observa el panorama desde allí, se puede imaginar que Juan, más allá de la silueta del Alcázar, de las sinuosidades del río y del perfil de la meseta que en este punto se descubren, miraba más allá, hacia aquellas ínsulas que le presentaba el impulso interior, la Voz de la escritura.

APOSTILLA IX

No se ha aludido siquiera, en este perfil personal de Juan de la Cruz, a los intrincados problemas textuales que se corresponden además con otros tantos enigmas relativos a la última parte de su vida. Por ejemplo, los problemas relativos al inacabamiento de *Subida* y de *Noche*, donde falta en ambos casos la parte referente a la experiencia de la unión, o la hipótesis, reiteradamente propuesta, de la existencia de una interpolación en *Subida*. Sobre todo, nada se ha dicho de la redacción doble de *Cántico* y *Llama*, donde en ambos casos la segunda redacción remite insistentemente a la otra vida la experiencia de la unión divina, que en cambio en la primera redacción se da como posible en ésta. El problema se vuelve particularmente agudo en lo que respecta a *Cántico*, cuya primera redacción lleva signos autógrafos mientras que la segunda, en cambio, se basa incluso en una disposición distinta de las estrofas del texto poético y en un uso lingüístico distinto, mucho más próximo al modelo teológico convencional, y más cercano también al modelo de la «ciencia» que al modelo místico, el modelo de la «experiencia». En conjunto, el sentido erótico y místico de la primera redacción se reconduce a una exposición de sabor más escolástico y doctrinario. Lo cierto es que la obra de Juan de la Cruz está llena de elementos problemáticos y hasta explosivos; tanto que Eulogio Pacho, especialista en la obra de Juan, llegó a decir en un congreso celebrado en Roma en la primavera de 1991 que «sólo la beatificación salvó de la hoguera la obra de Juan de la Cruz».

En lo que atañe a la remisión a la otra vida de la experiencia mística, uno de los mayores expertos en Juan de la Cruz vivos, el canónigo de Bourges Max Huot de Longchamp, ha afirmado tajantemente en su reciente *Saint Jean de la Croix* (FAC, París, 1990, p. 169) que la línea del *Cántico B* «destruye» literalmente todo el discurso de Juan hasta entonces sobre el tema central del goce místico.

Desde el interior de este perfil personal sólo nos corresponde formular una perplejidad: decir que nos parece bastante difícil que Juan pudiera cambiar tan radicalmente el orden y el sentido de un texto que, como *Cántico espiritual*, les había confiado a las monjas, que las monjas se habían aprendido de memoria y que incluso algunas se hicieron leer en su agonía. Sobre este punto, y sobre el prólogo de *Cántico*, remito a mi ensayo «Juan de la Cruz: la "voz" y la "experiencia"», en Iris M. Zavala (coord.), *Breve historia feminista de la literatura española (en lengua castellana)* (Anthropos, Barcelona, 1995).

La cita de Northrop Frye está sacada de *El gran código* (Gedisa, Barcelona, 1988).

El detalle de «arrancar las malas hierbas» como metáfora Zen, de AA. VV., *Le forme del mistico* (La Locusta, Vicenza, 1988).

No conozco lectura más esclarecedora y significativa de *Subida del Monte Carmelo* que la de Manuel Ballestero en *San Juan de la Cruz. De la angustia al olvido* (Península, Barcelona, 1977).

Una impresionante lectura de *Subida del Monte Carmelo* es la de Severo Sarduy en vísperas de su muerte por causa del SIDA. Se publicó en *El País* el 14 de agosto de 1993.

X

EL INFIERNO DE MADRID

LA HISTORIA

1547 Se promulga en Toledo el *Estatuto de limpieza de sangre*, una disposición racista que excluye de todo cargo de gobierno a los conversos del judaísmo y del islam.

1559 Promulgación del *Index librorum prohibitorum*, que prohíbe —además de la traducción de la Biblia a cualquier lengua vulgar— muchas obras piadosas, entre las cuales figuran algunos libros de los místicos renano-flamencos.

1576 Edicto sobre la tolerancia religiosa en Francia.

1583 Arias Montano, el gran filólogo a quien Felipe II había encargado la realización de la Biblia políglota, y que luego será bibliotecario de El Escorial, entra en una secta clandestina de «espirituales» llamada «La familia del amor».

1590 Galileo escribe *De motu gravium.*

1592 Detención de Giordano Bruno.

1601 John Donne escribe *Viajes del alma.*

A Juan de la Cruz, que había experimentado el paraíso de Beas, le tocó padecer en los últimos meses de su vida la experiencia del infierno.

Primero se desencadenó contra él —en los dos capítulos de los descalzos que se celebraron en Madrid en 1590 y 1591— la presión de un provincial autoritario, decidido a reconducir a la «observancia» externa y a la vinculación al apostolado a una orden religiosa que Teresa y Juan habían conducido por los caminos del hombre interior y de la autosuficiencia de la contemplación. Luego se desencadenaron contra él —cuando Juan apareció como vencido en el plano político y quedó excluido de todos los organismos dirigentes— la hostilidad y el rencor calumnioso por parte de alguien a quien probablemente la desprendida riqueza espiritual de Juan siempre le había hecho sentirse en falta.

En el libro segundo de *Noche oscura* (6, 2) Juan había mostrado comprender muy bien qué es el infierno, o sea, cómo puede ser el infierno en la tierra, al escribir: «dolores de infierno siente el ánima muy a lo vivo, que consiste en sentirse sin Dios». Y ¿qué puede parecerse más a sentirse sin Dios que verse empujado por el espíritu de venganza, y dominado por él hasta el punto de ser inducido a calumniar para causar daño, hasta causar la propia ruina interior para golpear a otro ser humano?

En un pasaje extraordinario de *Noche oscura* había escrito Juan:

> Mas son interpolados los ratos en que se siente su íntima viveza, la cual algunas veces se siente tan a lo vivo, que le parece al alma que ve abierto el infierno y la perdición; porque de éstos son los que de veras descienden al infierno viviendo.

He aquí la autodisgregación y la autodestrucción que nos toca observar en nosotros mismos y en los demás, con el sentimiento de culpa que nos vuelve culpables. Un tormento duradero en el que «el otro» se convierte en el infierno, el infierno que se infligen quienes quieren el infierno; un infierno donde los propios condenados son los torturadores de su prójimo, de sus allegados, de las personas «queridas»; el infierno donde los hijos atormentan a los padres y las hijas desgarran a las madres. Ése era ciertamente el signo del Mal, cuando, por razones oscuras, son los peores, los más duros y los más groseros, quienes se hacen con el poder; allí es donde la ambición desencadena odio y presunción.

En la reunión del capítulo de junio de 1590 Juan de la Cruz se había opuesto fuertemente a Doria —quien, como dijo un testigo, era un tipo que «no gastaba bromas»— en el terreno del secreto del voto; pero además se le había resistido, sobre todo, en el terreno más significativo y delicado en que se situó la presión de Doria: el ataque a la libertad de las monjas, y en particular a la libertad de las monjas de elegir su propio confesor.

Se trataba de un ataque frontal a la libertad profunda de cada alma de seguir su propia inspiración, y era también un ataque al pluralismo teológico en el Carmelo femenino; se trataba de un grosero intento de imponerle al Carmelo femenino un control por parte del Carmelo masculino. Pero se trataba también, y tal vez sobre todo, y Juan estaba en mejor situación que nadie para comprenderlo, de un ataque a la línea de la autosuficiencia contemplativa propuesta por Juan al Carmelo en sus dos sectores: también al Carmelo masculino, por lo tanto. Era el primer ataque a la línea que Juan llamó siempre «contemplativa» y «espiritual», y que más tarde, en el siglo XVII, empezó a ser definida como «mística». (Aquel año fue también —conviene recordarlo— el del desaforado ataque del dominico Alonso de la Fuente contra la primera edición de los escritos de Teresa.)

Estuvieron en contra de la línea de Doria las dos grandes prioras teresianas, María de San José, que luego fue exiliada y murió en misteriosas circunstancias, y Ana de Jesús, quien después aceptó ir a Francia como embajadora del espíritu del Carmelo descalzo. Fue, en una palabra, como se ha dicho, la liquidación de una «vieja guardia» para afianzar una línea distinta y en ciertos aspectos contraria a la anterior. La infame iniciativa que, como veremos, se emprendió contra Juan de la Cruz entraba justamente en este complicado cuadro.

Fue la época en que simplemente ser amigos se consideraba en la orden un pecado.

Juan, en el segundo capítulo de Madrid, al que Doria llegó con una lista de candidatos «cerrada» herméticamente y con órdenes precisas de secundarla para sus secuaces, resistió duramente —él, que en la época del secuestro de Toledo no se había «arrepentido», como le pedían los calzados, de haber elegido la reforma de los descalzos—; y, a raíz de esa resistencia, fue excluido —según la lógica monstruosa de la política cuando se aparta de su propia inspiración— de todos los organismos dirigentes y de gobierno, y privado de todo cargo. Allí se decidió que se trasladara como simple fraile a la colonia agrícola de La Peñuela, en Andalucía, a la espera de su siguiente destino. Parece que para librarse de aquellas disputas había aceptado ir a México.

Al leer las relaciones de aquellos capítulos se llega a pensar que lo que más debió herirle en lo vivo a Niccolò Doria, entregado por completo a la dirección y a la organización, fue que Juan de la Cruz se opusiera al *ukase* con que el genovés imponía la lectura en el refectorio de las normas promulgadas por él sobre la vida en el interior de los conventos: de los cincuenta y nueve artículos de las *Constituciones* teresianas se pasaba a más de cuatrocientas prescripciones. Era un auténtico lecho de Procusto para la paciencia de las monjas y para la tolerancia de Juan: verse sometidos él y ellas a esa muerte de toda libertad imaginativa e interior que supone siempre la repetición, tan cara, en cambio, para quien pretende imponer inmotivadamente su autoridad.

En cualquier caso, Juan debió quedar tan molido por los «infernales» acontecimientos de Madrid que, al despedirse de las descalzas del convento de esa ciudad, llegó a decirle a una monja quejosa de que le enviaran a una campiña desierta: «Hija, entre las piedras me hallo mejor que con los hombres».

Desde allí, desde La Peñuela, Juan escribió cartas en que se declara feliz de haberse librado finalmente de todos los encargos pesados; feliz de disfrutar de paz y de soledad, de volver a quedarse entregado al gozoso olvido de sí y de todas las cosas. De poderse dedicar a la admirable práctica del desierto. Y nada cuesta creerle si se considera que le correspondieron cargos de gobierno porque en cierto sentido eso se impuso a todos —como en la biografía de algunos sabios antiguos—, ya por la evidencia de su capacidad, ya por su desprendimiento. Impuestos, sobre todo, por su independencia respecto del juicio ajeno, por su capacidad para estar dentro de sí, en el castillo de la soledad, tanto de vicario provincial como de simple fraile.

Sin embargo Doria, no satisfecho con su victoria política sobre Juan y su línea, aceptó o permitió que se le intentara destruir. De hecho permitió que un joven mediocre, Diego Evangelista —un estúpido que se vengó así de las críticas que en cierta ocasión le había hecho Juan, el típico ser que sólo encuentra su identidad cuando se instala en el poder, y que entra en crisis por una crítica ajena; un joven mediocre a quien se le había confiado una tarea de dirigente en el último capítulo—, iniciara un procedimiento disciplinar contra

Juan acusándole de haber tenido comercio carnal con las monjas; esto es: reduciendo toda relación personal profunda entre hombre y mujer a la sexualidad genital, y usando la sexualidad genital como lenguaje contra alguien que había escrito una extraordinaria poesía amorosa y que había tenido con las monjas una relación tan intensa y tan personal que algunos intérpretes de sexo masculino todavía hoy no la pueden entender.

La intención manifiesta era expulsarle del Carmelo descalzo, y tal vez lo hubieran logrado de vivir Juan unos meses más: expulsar de la orden a quien había sido su iniciador y fundador; a quien había defendido su inspiración originaria en Toledo arriesgando la vida. Y si resultó fácil expulsar de la orden al otro gran compañero de Teresa, a Jerónimo Gracián de la Madre de Dios, cristiano viejo y de origen social elevado, imagínese lo fácil que podía ser echar a Juan, «hijo de la Catalina», un pobre «sin calidad».

Era el resarcimiento rencoroso y mezquino contra alguien de quien se decía en la orden —y el testimonio es femenino— que «con ser el dicho santo padre fray Juan un hombre no hermoso y pequeño y mortificado, que no tenía las partes que en el mundo llevan los ojos, con todo eso no sé qué traslucía o veía de Dios en él esta testigo, llevándose los ojos tras de sí para mirarle como para oírle».

Era la venganza por aquella capacidad suya para estar en soledad, y para conjugar por tanto el distanciamiento y la imperturbabilidad con una disponibilidad inagotable; era la manifestación malévola de la envidia por su capacidad de gobernar los conventos sin mandar y sin gritar, que Juan había mostrado como prior en Granada primero y en Segovia después, haciéndose famoso, por ejemplo, por la ocurrencia de toser aposta para anunciar su paso a los monjes, y evitar así tener que reprocharles haber infringido la regla del silencio. O por no soportar verles tristes, o que los demás no acudieran a él para interceder por el que había sido castigado. Los hechos desmentían la máxima que justamente en aquellos meses Juan de la Cruz le había escrito en una carta a María de la Encarnación: «Adonde no hay amor, ponga amor y sacará amor».

Era —pese al prestigio de quien había escrito libros llenos de citas de la Biblia (más de mil del Viejo Testamento y más de quinientas del Nuevo)— el desquite de la identidad masculina instalada en el saber de las «escuelas», en la «ciencia», contra una línea que concedía la primacía a la «experiencia»; la venganza contra quien, en palabras de Lacan, «está tan bien como las mujeres» en el desarrollo de la «experiencia» como receptividad y acogida, como acercamiento a lo Incognoscible.

Siguieron registros en cadena en los conventos femeninos, con las monjas sometidas a humillantes y apremiantes interrogatorios. Con actas ya listas antes de que el interrogatorio comenzara.

Fue realmente entonces cuando Juan de la Cruz hizo la experiencia de lo que Simone Weil ha definido como «la desgracia»: cuando algo «se ha adueñado de una vida y la ha desarraigado y la alcanza directa o indirectamente en todas sus partes, social, psicológica y físicamente». En Toledo, secuestrado y torturado, le había sostenido siempre la idea de «los suyos», los descalzos de la madre Teresa; y la firmísima convicción de que su resistencia tenía un sentido: el sentido de la coherencia y de la fidelidad al propio proyecto, que era el proyecto «de los suyos». Pero en aquellos últimos meses eran «los suyos» quienes le agredían, quienes le amenazaban con echarle de la orden que él mismo había fundado. Y buscaban que cayera sobre él la vergüenza mezquina de haber violado el doble tabú que reglaba su vida como sacerdote y la vida de las monjas como vírgenes consagradas; la vergüenza de reducir aquellas delicadas relaciones a un tocarse y un palparse furtivos.

Él, «pobre sin calidad», debía saber desde siempre lo que afirma el Gran Inquisidor en *Los hermanos Karamázov*, esto es, que «por un pedazo de pan la gente está dispuesta a rechazar la libertad». En aquel trance la operación de comprender y de aceptar era particularmente difícil. Justamente porque no se trataba de los hombres en general, sino del grupo en cuya formación había trabajado durante toda su vida. Reducidos, también ellos, al comportamiento del animal: «las gallinas caen a picotazos sobre una gallina herida», escribe Simone Weil.

Fue entonces cuando tal vez se hizo pedazos por un momento el delicado movimiento de creación fundamentado en un proceso interior entre soledad y disponibilidad; el proceso de creación que había puesto en marcha Juan de Yepes al rechazar diversos oficios y luego el cómodo papel de capellán y al elegir, finalmente, el Carmelo.

En las cartas de aquellos días, junto a expresiones de indiferencia y distanciamiento (a los amigos que querían hablarle de «aquél» les dijo que «más le dolían estas palabras que aquellas acciones»), se encuentran expresiones de una gran amargura; fue entonces cuando le escribió a una amiga, a propósito de pasar las mañanas en La Peñuela recogiendo garbanzos: «Es lindo manosear estas criaturas mudas, mejor que no ser manoseados de las vivas». Es una frase trágica, en la que Juan de la Cruz parece renunciar por un momento a la máxima prerrogativa humana de entrar en contacto con la palabra —con el nombre en primer lugar— con las cosas mudas. Pero una vez más confía ese sentimiento trágico a la palabra, y lo hace escribiendo a una mujer.

No puede sorprender realmente que en aquellas circunstancias Juan de la Cruz, que pese a ser pequeño y frágil había afrontado grandes incomodidades y fatigas, cayera presa de una enfermedad mortal. «Aquel cuya alma permanece orientada hacia Dios mientras está atravesada por un clavo, se encuentra clavado en el centro mismo del universo», escribe Simone Weil.

Clavado por la enfermedad en el centro del universo: en esto se convirtió Juan de la Cruz, invadido por un proceso gangrenoso incontenible.

Pero al hallarse frente a la muerte —una muerte anunciada de veras— a los 49 años y con aquella enfermedad dolorosísima, Juan volvió a encontrar toda su energía de resistente y toda su elegancia de creador.

Dos días antes de morir, con un último gesto de clandestino, Juan de la Cruz sacó de debajo del jergón un montón de cartas y procedió a quemarlas en la llama de una candela, vigilando que quedaran destruidos hasta los sobreescritos: cada una de aquellas cartas podía convertirse en una pieza de acusación. Un viento de tormenta se cernía sobre sus amigos, y destruía cartas y notas «porque no fueran a manos de ese visitador». A Magdalena le quitaron su cuaderno de apuntes.

En su lecho de muerte este «santo» tuvo la elegancia de citar un pasaje del *Libro de Job* —el más citado en sus obras, el libro donde clama una víctima sin culpa—: el pasaje en que Job, también herido como Juan «de una úlcera maligna desde la planta de los pies hasta la cabeza [...] se limpiaba con una teja»; y tuvo la elegancia de citarle humorísticamente: dijo que «para él todo eran comodidades y atenciones [...] y me traen pañitos blandos». Con lo que a la vez ironizaba acerca del comportamiento del prior del convento de Úbeda, que —fiel al grupo de los ganadores en el capítulo de Madrid que perseguía a Juan— le había reservado un trato áspero y cruel, y al mismo tiempo daba las gracias delicadamente a los monjes y a las monjas que, corriendo el riesgo de ser mal vistos por los poderosos de turno, rivalizaban por rodearle de cuidados y de afectuosa asistencia.

Pidió más de una vez —también ante el inoportuno celo del padre Antonio de Jesús, que había acudido como provincial a llamar al orden al descomedido prior— que le dejaran «solo».

Cuando advirtió que había llegado el último momento, y el prior empezó a recitar las oraciones de difuntos, Juan tuvo fuerzas para pedirle que parara —«que eso no es menester»— y le rogó que leyera el *Cantar de los Cantares*. Y, tras algunos versos, exclamó —fueron sus últimas palabras—: «¡Oh, qué preciosas margaritas!».

Una vez más, contra la imploración, el amor; contra el ritualismo, la belleza con el rostro vuelto hacia Dios.

APOSTILLA X

Vino luego la vicisitud de la «santificación»: como ha escrito José Sánchez Lora, «cuando muere Juan de la Cruz nace "san" Juan de la Cruz».

La peripecia se inició inmediatamente, con doña Ana del Mercado y Peñalosa empeñada en trasladar a «su» Segovia el cuerpo de Juan, fuente de reliquias y peregrinaciones —reliquias y peregrinaciones respecto de las cuales Juan, como hemos visto, había mostrado todo su sarcasmo de espiritual.

Y vino luego la historia de los procesos de beatificación y canonización. Fue una peripecia larga y laboriosa: Juan fue canonizado en 1726, con mucho retraso comparado con las canonizaciones fulminantes —a principios del siglo XVII— de Teresa de Ávila e Ignacio de Loyola, que habían sido contemporáneos suyos. Larga y laboriosa peripecia durante la cual tal vez se manipularon sus textos.

El pasaje de Lacan citado está sacado de *Le séminaire. Livre XX.*

El ensayo de Simone Weil citado es «El amor a Dios y la desdicha», en *A la espera de Dios* (Trotta, Madrid, 1993).

CRONOLOGÍA

I. EN CASTILLA

FONTIVEROS

1542 Nace Juan de Yepes, hijo de Gonzalo y de Catalina Álvarez, tejedora.

1545 Muere su padre, Gonzalo, y en seguida también su hermanito Luis.

ARÉVALO

1548 Catalina se traslada a Arévalo con Francisco y con Juan, y trabaja allí en una pequeña manufactura.

MEDINA DEL CAMPO

1551 Catalina se traslada a Medina con Francisco, quien entre tanto se ha casado en Arévalo.
Juan entra en el *Colegio de la doctrina*, institución de beneficencia donde aprende a leer y escribir, y donde desempeña tareas como ayudar a misa y pedir limosna para el Colegio; al mismo tiempo trabaja de aprendiz en talleres de carpintero, de sastre, de tallista y de pintor; en fecha imprecisa ingresa en el Hospital de la Concepción con funciones de enfermero.

1559 Empieza a frecuentar, empujado por el director del hospital, la Escuela Superior de estudios humanísticos abierta en

Medina por la Compañía de Jesús, que daba entonces sus primeros pasos.

1563 Entra en el convento carmelita de Santa Ana y en el momento de tomar el hábito se hace llamar Juan de Santo Matía.

SALAMANCA

1564 Es enviado por la orden a la universidad de Salamanca, al convento-colegio de San Andrés. Entre 1564 y 1568 sigue cursos de letras, de filosofía y de teología.

MEDINA DEL CAMPO

1567 En Medina, a donde ha ido a celebrar su primera misa, encuentra a Teresa de Jesús, que está allí para fundar su segundo convento de carmelitas descalzas, tras el de San José de Ávila.

VALLADOLID

1568 En agosto va a Valladolid con Teresa, que se encuentra allí dedicada a una fundación difícil, para ser instruido como carmelita descalzo.

DURUELO

1568 En octubre se traslada a una casona de Duruelo, en pleno campo, en la provincia de Ávila, y trabaja para organizar un convento.

1568 En noviembre Juan toma el hábito como carmelita descalzo con el nombre de Juan de la Cruz, al mismo tiempo que Antonio de Jesús, ex prior de los calzados de Medina.

1569 Juan es nombrado maestro de novicios.
Teresa visita aquel primer convento de descalzos a finales de año.

ALBA DE TORMES

1571 Juan acompaña a Teresa en la oscura y problemática fundación en aquella ciudad, dominada por los duques de Alba; en abril Juan se traslada a Alcalá como rector del Colegio universitario de los descalzos.

PASTRANA

1571 En abril-mayo Juan es enviado por Teresa a reprimir los excesos eremítico-penitenciales del segundo convento de los descalzos fundado en Pastrana a la sombra del caserón de los Éboli.

ÁVILA

1572 En mayo-junio es enviado a Ávila como vicario y confesor de las carmelitas calzadas del monasterio de la Encarnación, de la que ha sido nombrada priora Teresa de Jesús en un clima de resistencia y cuestionamiento por parte de las monjas; en octubre se celebran elecciones: las monjas votan a Teresa contra la voluntad de sus superiores y se las priva de los sacramentos.

1577 Durante la noche entre el 2 y 3 de diciembre es detenido, junto con un compañero suyo, por los padres calzados, con la ayuda de la fuerza pública, bajo la acusación de rebeldía por haber seguido el impulso reformador de Teresa.

TOLEDO

1577-1578 Permanece durante nueve meses en un local que previamente había sido letrina, carente totalmente de luz salvo la que entraba por un pequeño respiradero superior, y tan pequeño que a duras penas se podía tender; allí escribió algunos romances y las primeras 31 estrofas de las *Canciones de la Esposa*, que luego llevaron el título de *Cántico espiritual.*

1578 En agosto logra escapar de la cárcel y se refugia en el convento de las descalzas; agosto-septiembre: durante casi un mes permanece escondido en el hospital de la Santa Cruz, bajo la protección de un Mendoza, una de las familias de Grandes de España favorables a la reforma teresiana.

II. ANDALUCÍA

1578 Septiembre-octubre: parte hacia el sur con el cargo de prior del minúsculo convento del Calvario, y hace una parada en el convento de las descalzas de Beas. Encuentra allí a Ana de Jesús y establece una intensa relación con las descalzas de aquel convento, que seguirá yendo a visitar ya a pie desde el Calvario ya a lomo de mula desde Baeza.

1578-1579 En el monasterio del Calvario, en el alto Guadalquivir; allí escribe probablemente el texto poético que empieza con el sintagma «En una noche oscura», y empieza a idear y a escribir sus obras en prosa.

1579-1581 Es nombrado rector del colegio de los descalzos, fundado por él, en la universidad de Baeza.

1581 Hace diversos viajes, entre los cuales destaca el que hizo a Ávila para invitar a Teresa a participar en la fundación del convento de las descalzas de Granada. Teresa, sin embargo, cansada y enferma, se negó; fue su último encuentro.

1582-1588 Reside en Granada como prior del convento de los Mártires, situado frente a la Alhambra; allí escribió sus cuatro grandes obras en prosa: *Subida del Monte Carmelo*, *Noche oscura*, *Cántico espiritual* y *Llama de amor viva.*

1585-1587 Es vicario provincial de Andalucía y hace varias fundaciones nuevas.

1588 Pasa a formar parte de la Consulta, el nuevo organismo dirigente de la Orden.

III. REGRESO A CASTILLA

1588 Va a Segovia de prior del convento carmelita de esa ciudad.

1590 Primer choque con Doria en el capítulo general extraordinario.

1591 Junio: capítulo general ordinario en Madrid. Juan es excluido de todos los órganos dirigentes. Se habla de destinarle a las misiones de México; entretanto Diego Evangelista ha abierto contra él un procedimiento disciplinar con la acusación de haber tenido trato carnal con las monjas.

IV. EN ANDALUCÍA

1591 En agosto llega a La Peñuela, colonia agrícola de la orden en la provincia de Jaén, donde pasa un período de gran concentración y serenidad, apenas velada por la amargura de los recientes acontecimientos; en septiembre, a causa de un persistente estado febril ligado a un proceso de supuración en una pierna, parte para Úbeda, adonde llega a finales de septiembre; muere el 14 de diciembre.